CB137551

Copyright © 2019 Ler Editorial

Texto de acordo com as normas do novo acordo ortográfico da língua portuguesa (Decreto Legislativo Nº54 de 1995).

Todos os direitos reservados. Proibida a reprodução total ou parcial, de qualquer forma ou por qualquer meio, mecânico ou eletrônico, incluindo fotocópia e gravação, sem a expressa permissão da editora.

Editora – Catia Mourão
Capa – Décio Gomes
Diagramação – Catia Mourão
Revisão – Catia Mourão e Vanuza Rúbia F. Freitas

CIP-BRASIL. CATALOGAÇÃO NA PUBLICAÇÃO
SINDICATO NACIONAL DOS EDITORES DE LIVROS, RJ

S716m

Sousa, Lucas de, 1991-
O misterioso jardim da Sra. Anne / Lucas de Sousa ; [organização Catia Mourão].
- 1. ed. - Rio de Janeiro : Ler, 2019.
160 p. ; 21 cm.

ISBN 978-85-68925-78-2

1. Ficção. 2. Literatura infantil brasileira. I. Mourão, Catia. II. Título.

19-55716 CDD: 808.899282
CDU: 82-93(81)

Vanessa Mafra Xavier Salgado - Bibliotecária - CRB-7/6644
11/03/2019 13/03/2019

Foi feito o depósito legal.
Direitos de edição:

Ler
EDITORIAL

O MISTERIOSO JARDIM DA SRA. ANNE

Lucas de Sousa

1ª Edição
Rio de Janeiro – Brasil

A vida pode ser comparada a uma simples e pequenina flor de um jardim secreto, que esconde às fases da vida entre suas pétalas. Quando finalmente desabrocha tudo pode ser modificado, para o temido mal ou até mesmo o prazeroso bem...

SUMÁRIO

Para Jonathan Willian, quem primeiro leu este livro. Éramos muito jovens e eu ainda brincava de ser escritor, quando, juntos, imaginávamos ver essa história publicada. Um sonho fortalece o outro!

Que essa homenagem desperte em você a alegria de viver, inspirando-o a sentir novamente aquela felicidade jovial que nos arrebatava e nos transportava para o mais maravilhoso mundo da fantasia e das possibilidades mil.

"E antes que eu me esqueça, o quintal está bom para brincarmos."

Prólogo

Ser mágico, livro é passaporte de aventura. É a mais misteriosa floresta, o mais gostoso barulho das ondas do mar. É água das cachoeiras, que tira a sede. O céu mais límpido, o sorriso mais sincero, o amigo mais confiável. Um companheiro para todas as horas.

Desculpe se eu for um livro barulhento. Geralmente, meus companheiros são caladinhos e quietos. Bando de empoeirados! Eu sou diferente. Gosto de falar, de aparecer.

Provavelmente, você vai me achar branco demais, sem desenhos... Mas, quem disse que não tenho figuras? As letras serão os mais lindos quadros. Deixe-se levar por esse mar de letras.

Não gosta de ler? Desculpe, mais uma vez, mas você estará perdendo uma boa oportunidade de conhecer novos lugares, de fazer novas amizades. Poderei, eu, ser o consolador, o ombro amigo. Só não chore muito sobre minhas páginas ou elas serão manchadas.

Também serei o mentor, o "gente fina", o letrado. Sinta minhas páginas, sinta meu cheiro. Esteja à vontade para ler. Sempre serei leal a você.

Não tenho cadeados, portanto, sou livre para que todos me leiam. Fui criado por um menino chamado Lucas de Sousa e estou feliz por estar em outras mãos.

Aqui, você conhecerá Sophie, Thomas e outros personagens que o levarão para além das montanhas de sua cidade ou dos muros do seu próprio lar.

Estarei sempre junto a você, amigo!

Boa Leitura!

1

Sophie, a contadora de histórias

O Orfanato Santa Maria ficava no final de uma rua muito pacata, no qual trabalhavam freiras muito respeitáveis e nem sempre de bom humor. Lá, meninas de diferentes idades esperavam a hora de ir embora, morar num outro lugar, com outra família.

A Madre Superiora, Irmã Romilda, era a diretora do orfanato. Mandava como ninguém. Sempre de cara amarrada, não tinha tempo para rir. Seu melhor passatempo era deixar algumas meninas desobedientes de castigo por horas a fio, com os joelhos sobre o milho.

Passou tempos difíceis antes de se tornar freira, episódios que sempre escondeu das outras freiras. A irmã Luciana era a única que conhecia o seu passado. Ela era uma velhinha muito boa, de pele rosada e olhinhos semicerrados, com um talento sem igual para cuidar das crianças daquele lugar. Sempre foi admirada pelas meninas, porém, Sophie guardava um carinho especial e único por ela.

Sophie era uma menina de dez anos, tinha um metro e meio, os cabelos louros como o sol e olhos da cor da noite.

Ainda que tivesse somente dez anos, achava-se velha demais para ser adotada por alguma família. E para que essa dor não a entristecesse a ponto de fazê-la chorar, gostava de contar histórias de princesas, de cavaleiros valentes e criaturas mágicas. Por isso, todos os dias, reunia-se com as amigas para uma noite de contos e muita fantasia. Era o que mais sabia fazer, pois não levava jeito para nenhuma outra tarefa. Era um desastre dobrando roupas, varrendo o chão, limpando os copos. Preferia inventar, ler e escrever.

Sonhou, certa noite, que estava montada num cavalo de prata voador, rumando a um enorme castelo, cheio de torres, portas e janelas. Tinha uma capacidade maravilhosa para ver magia em tudo e em todos os lugares. Jurou ter encontrado, dias atrás, uma estátua se movendo lá em cima da Igreja de São Sebastião, quando visitava o mercado com outras freiras do Orfanato. Suas amigas lhe admiravam e tentavam entender de onde saía tantas histórias maravilhosas. Juravam que a sua imaginação fazia algumas coisas virarem realidade. Claro, aquilo assustava vez ou outra, porém, Sophie sempre conquistava a curiosidade das amigas, criando e contando outras histórias, uma mais emocionante que a outra.

Não só lia para as amigas, como também usava alguns recursos para enriquecer a contação. Batia no assoalho de madeira para dar emoção à cena, falava fino quando o personagem falava fino, sussurrava quando o personagem sussurrava, gritava quando o personagem gritava e as meninas, com os ouvidos e os olhos atentos, sobressaltavam-se, no que era seguido de boas gargalhadas.

A única pessoa que odiava esses encontros, que, na sua maioria, aconteciam bem na hora de dormir, era a Irmã Romilda.

Sophie ficava três horas de joelhos no milho quase todas as manhãs, escutando a diretora do Orfanato Santa Maria dizer que ela estava cometendo pecados horrorosos e que violava os bons costumes que deviam, a severas regras, serem respeitados. Porém, confesso que nunca vi uma menina tão encantada pelos livros como a pequena Sophie, pois, ainda que punida, jamais deixou os livros e as contações de história esquecidos.

Nossa história começa neste ponto, nesta pacata ruazinha, dentro deste Orfanato de meninas, apresentando nossa personagem principal: Sophie, a contadora de histórias.

2

De joelhos no milho

Sophie não aceitava muito bem os castigos da Irmã Romilda. Desde quando contar histórias era um grande pecado?

A Freira era dona de uma sala duas vezes maior do que o pátio onde as meninas brincavam depois do almoço. Era banhado de sol e nas paredes havia pinturas em tela, algumas preenchidas por belas paisagens naturais e retratos em óleo.

O olhar gélido dos retratos, às vezes, assustava os visitantes distraídos. Ora se via semblantes simpáticos, ora rostos encovados de padres de diferentes partes do país, incluindo, claro, o do Papa. Porém, havia um em especial, o qual Sophie tinha o prazer de encarar, pois era o seu gentil amigo Padre Abelardo, da Igreja de Nossa Senhora da Conceição. Visitava as meninas duas vezes ao ano e trazia sempre histórias, brinquedos e comida das melhores cozinheiras da cidade.

Ainda passando os olhos pela sala da freira, uma mesa de carvalho atulhada de papéis preenchia um dos cantos da sala, de parede a parede, fora a quantidade de armários, onde a documentação de todas as internadas era guardada. Tudo era exageradamente grande, assim como o tapete vindo de Roma, bordado com muito esmero, gravado com a imagem da Virgem Maria.

A freira, voltando do quintal lá fora, sentou-se em sua cadeira, de frente para a grande mesa e passou a mão por alguns papéis. Examinou um ou dois com a concentração de um gavião em caça e, como que num sobressalto, olhou pela janela a desobediente Sophie, ainda ajoelhada no milho. A mulher torceu os lábios.

— Ela jamais vai aprender — disse, pensando alto, enquanto pegava seu caderno de observações do dia numa gaveta que ficava na direção da sua cintura. Mas, antes que conseguisse pô-lo sobre a mesa, as portas pesadas da sala irromperam, fazendo com que os óculos da Irmã Romilda quase pulassem dos olhos. Querendo falar, só conseguiu rapidamente se levantar e ver quem a atormentava. Era a Freira Luciana.

— Madre! — disse a velhinha em tom preocupado para a diretora. — Sophie... o que acontece para que ela seja castigada todos os dias? A menina já não sobe as escadas como antes por causa dos joelhos. — O rosto enrugado da Irmã Luciana estava muito vermelho e seus olhos, arregalados como nunca estiveram.

— Ora, que escândalo é esse, irmã? — ralhou a diretora. — A menina foi pega novamente se reunindo com as outras para contar histórias de demônios e outras diabruras. Ela precisa aprender de forma certa e, por isso mesmo, não aceito que a defenda de tais pecados.

— Desculpe, mas é maldade demais! Sophie é uma menina muito boa. Gosta de histórias e de contá-las para suas amigas porque não há muito o que fazer aqui, além das tarefas diárias. Reconsidere que...

A Freira foi diminuindo a voz assim que percebeu que alguma coisa dita não foi muito bem aceita pela Madre Superiora. O rosto da irmã Romilda começava a se contorcer de fúria e na boca fechada, as palavras saltitavam para serem expulsas o quanto antes.

— Como ela não tem nada para fazer? — Sophie era um desastre nas tarefas diárias, por isso, muitas vezes, a Irmã Luciana consentia em lhe deixar fora das atividades mais pesadas, enquanto a menina cuidava de outros afazeres de urgência e estudava. — Creio que ela tenha vários trabalhos para fazer.

Sem esperar, a Irmã Luciana achou a resposta certa para dizer:

— Claro que sim! E além de estudar, as crianças precisam estimular a imaginação lendo histórias...

— Não diga isso, sua tonta! — E bateu na mesa. — Ela está cometendo pecados terríveis, divulgando essas histórias horrorosas.

— Não vejo como tal — respondeu a velhinha.

— Como não?

— Meu Deus! Pecado é o que a senhora está fazendo com essa menina.

Então, a Irmã Romilda calou-se. Olhou para o tapete banhado de luz e lembrou que deveria chegar antes do meio-dia no Colégio de Santo Inácio para uma importante reunião.

— Bom... — recomeçou ela com um sorriso amarelo, desrugando as bochechas. — No momento você tem razão, até porque não posso me demorar e não quero menina alguma naquele quintal depois das duas horas. Meu retorno só se dará pela noite, por isso, faça o que mandei hoje mais cedo.

— Checar os corredores a cada dois minutos depois das quatro da tarde – repetiu a freira um pouco cansada.

— Isso mesmo — confirmou a Madre, satisfeita, batendo um calhamaço de folhas rabiscadas, a fim de arrumá-los e devolvê-los para outra gaveta atrás de si.

A irmã Luciana acompanhava cada passo da diretora.

— O que está esperando? — indagou a Irmã Romilda. — Anda, vamos!

A velhinha estremeceu por inteira e correu até Sophie com o coração saltitando, protegendo o rosto do sol com uma das mãos.

— Minha linda — chamou ela —, levante e vá para o seu quarto.

Sophie ergueu-se com dificuldade.

— Obrigado, irmã Luciana! Sou eternamente grata. — E se abraçaram.

— Rápido! Rápido! — ordenou a freira. — Tome um banho, troque a roupa e coma alguma coisa.

Sophie se despediu e foi observada até sumir de vista.

3

Hoje teremos histórias

Com pressa e ao mesmo tempo muito enfurecida, Sophie subiu os degraus de madeira do orfanato, experimentando ainda as sensações de fúria, endereçadas a ela pela Madre Romilda. Seus joelhos latejavam de dor, o que ajudava a gravar nos pensamentos o rosto vermelho de raiva da mulher.

Ao entrar no dormitório trinta e três, um amplo quarto, com móveis antigos, quinze camas e janelas grandes, Sophie encontrou Olívia revirando as estantes de livros, parando sempre o olhar para folhear cada um com muita concentração. Quando Sophie fechou a porta atrás de si, a pequenina estremeceu e logo olhou quem entrava.

Olívia sorriu e consertou seus óculos no rosto. Aqueles livros, em sua maioria, eram religiosos ou de estudo sobre o mundo, línguas e matemática. Os de aventuras, rainhas e monstros marinhos eram disfarçados com uma lombada falsa e, por isso, para encontrá-los levava alguns minutos.

Precisavam, ainda assim, serem trocados de lugar todos os dias para que nenhuma freira pudesse achá-los.

— Olívia! — Sophie sorriu de volta para a menina, apesar da dor que ainda sentia nos joelhos.

— Oi, Sophie!

Olívia usava um vestido amarelo muito chamativo e uma fita verde no cabelo cor de fogo. Tinha sete anos de idade e era uma das meninas mais novas do dormitório.

— Escolhendo a história desta noite? — perguntou Sophie, quando se sentou na sua cama e buscou, debaixo dela, uma caixinha de primeiros socorros. Precisava limpar as feridas mais uma vez naquela semana.

— Acho que Peter Pan será melhor.

— Não prefere A Bela Adormecida?

Olívia torceu a boca.

— Não... não tem muita graça. Ela só fica dormindo grande parte da história — protestou Olívia. Sophie riu.

— A Branca de Neve, então?

— É outra que dorme! — exclamou a menininha, desnorteada entre os livros. — Princesa já tem vida boa e vive dormindo.

— Mas, então...

— Peter Pan e pronto!

— Olívia, eu não posso contar mais histórias, não posso reunir as meninas de novo. A Irmã Romilda vem me castigando todos os dias pela manhã. Você viu, não é mesmo? Ela me fez jurar...

— Quem jura mente — lembrou Olívia, fechando um dos livros em sua mão e pondo de volta na estante.

— Mas, quem mente está pecando. Não é assim que as irmãs falam?

— Não está não! — insistiu Olívia, deixando seu sorriso maroto escapar por entre os cantos da boca.

Sophie não resistiu e sorriu também, terminando assim de limpar os joelhos e colocar faixas para protegê-los da sujeira. A irmã Luciana sempre aconselhava isso, caso contrário, poderia infeccionar e acabar sem as duas pernas.

Sophie, então, foi até a estante e puxou de uma vez só um dos seus livros. Tinha uma capa dura e as páginas estavam amareladas por causa do tempo. Depois, abriu algumas gavetas de um dos armários e tirou de lá de dentro um caderninho que parecia muito velho. Aproveitou que ainda lhe restavam algumas folhas em branco e as arrancou. O barulho repercutiu por todo o dormitório.

Olívia a acompanhava sem saber o que estava por vir.

— Vou convidar, em segredo, todas as meninas do orfanato — Sophie começou a escrever. — Também estou proibida de visitar os outros dormitórios, por isso, peço que entregue esses convites para mim, Olívia. Um para cada dormitório, por favor.

Olívia respondia avidamente com a cabeça, sentindo um frio subir da barriga até seu cérebro.

— Fiquei sabendo que a irmã Romilda vai sair essa noite — avisou Olívia. Sophie, então parou de escrever e olhou para a amiga.

— Será menos perigoso — disse, como que pensando alto. — Se for assim, vou ajudá-la.

— Mas, a irmã Luciana vai checar todos os corredores de dois em dois minutos.

Sophie enrugou a testa, pensativa.

— Como você ficou sabendo de tudo isso?

— Marcela, do dormitório sete, contou-me hoje pela manhã. Ela escutou uma conversa entre as irmãs Tereza e Eugênia. Acho que podemos confiar nas três.

— Bom... então, hoje teremos história!

— Oba! — comemorou a menininha. — E com a irmã Luciana por perto, nada sairá mal.

Sophie terminou de escrever os convites às seis horas e três minutos da noite, uma ótima hora para o início das histórias. As outras treze meninas do dormitório trinta e três se amontoaram atrás da contadora de histórias e, juntas, prometeram não fazer barulho algum que pudesse atrapalhar o plano dela e de Olívia.

Antes que as outras chegassem, Marcela, Lilian e Izabela acenderam as velas de todos os castiçais de prata do dormitório, enquanto Lúcia, Júlia e Sabrina distribuíam almofadas pelo chão. O restante das meninas varria, enfeitava e planejavam os melhores contos para a noite. Tudo era animação e preocupação, um misto de sensações que empolgava todas elas.

— Você está pronta, Olívia? — Seu coração congelou por alguns segundos. — Estou si-si-sim — respondeu enfim, colocando as cartas por entre as vestes, assim como Sophie.

Acompanhadas pelas outras garotas, as duas abriram a porta e olharam para os dois lados com muito cuidado. Da janela, lá no final do corredor, a luz da lua entrava majestosamente.

Mergulhadas no silêncio, ouviam ao longe os passos da freira, batendo no assoalho de madeira do orfanato. Somente munidas de muita coragem eram capazes de se aventurar fora de seus dormitórios pela noite, e o mesmo não era considerado uma frescura, pois quem fazia a ronda nem sempre era a simpática irmã Luciana e, sim, a Madre Superiora, a irmã Romilda. Então, todo o cuidado, de fato, era muito pouco.

— Você vai para a direita — pediu Sophie, sussurrando. — Eu vou pela esquerda. Rápido!

Olívia correu na ponta dos pés, colocando os convites por debaixo das portas. Sophie fez o mesmo, com o coração saltitando. No escuro, mal conseguia ver a porta à sua frente. Faziam o maior dos esforços, tateando a parede e identificando, às cegas, o buraco certo para enfiar o papel. Sem que esperassem, a figura menos desejada apareceu na escuridão, erguendo na altura dos olhos um castiçal com seis velas. A freira Luciana semicerrava seus olhinhos na tentativa de avistar alguém. Ouvira um barulho suspeito.

— Quem está aí?

É claro que ninguém respondeu. Sophie tapou a própria boca, engolfada nas trevas e esperou com os olhos bem arregalados, ora para a freira, ora para Olívia. E, então, a sombra se distanciou e recomeçou a ronda por outro corredor.

Sophie recuperou o fôlego e correu até o que parecia ser a Olívia. A menininha estava tremendo.

— Ela não nos viu. Ela não nos viu — repetia Olívia entre sussurros e risos descontrolados. Sophie ria de alívio.

— Precisamos terminar depressa.

Mais apressadas, foram até outras portas e o mais animador começou a acontecer. As meninas dos outros dormitórios começavam a deixar os quartos e se enfiavam no número trinta e três, sem qualquer luz que pudesse denunciá-las. E alertadas, de dois em dois minutos, paravam e esperavam a irmã Luciana passar.

Pela segunda vez, a velhinha passou e não viu as meninas. Desceu as escadas em silêncio, enquanto atrás de si, mais de cem crianças se amontoavam num único dormitório.

Oito minutos foram o suficiente para que as cartas fossem todas entregues. De mansinho, Sophie e Olívia voltaram ao número trinta e três, e foram recebidas não com vivas, mas com sorrisos silenciosos e apreensivos.

A contadora de histórias subiu na cama, como era de costume e abriu seu livro.

— Era uma vez...

4

A superleitura

Bem próximo do início da leitura, alguém bateu na porta. De repente, o dormitório inteiro cochichava e o mar de cabeças tornava-se revolto, de onde Sophie conseguia vê-las. Rápida, ela pediu com o mover das mãos, para que as meninas à sua frente abrissem caminho para que ela pudesse passar e ver quem era.

Chegando perto da porta, ajoelhou-se e deitou no chão, de modo que fosse possível ver os pés daquela que estivesse do outro lado.

Olívia se aproximou.

— Quem é? — perguntou ela, preocupada.

Sophie se levantou, ajeitando o cabelo e se preparando para abrir a porta.

— Não é nenhuma irmã...

— Como você sabe? — interrompeu Olívia, segurando a mão da amiga.

— Os pés são pequenos demais.

Quando, enfim, abriu a porta, Sophie e Olívia deram um largo sorriso para Charlote, uma das suas melhores amigas.

A recém-chegada entrou apressada e sorridente, mal acreditando na quantidade de meninas reunidas. Viu Clarice, Porcina, Margarida, mas também conseguiu encontrar Violeta, Ana e Joana, todas juntas. Comemoraram a sua chegada sem estardalhaços, mas visivelmente felizes.

— Charlote! — chamou Sophie. — Pode buscar um livro da estante, se quiser. Hoje teremos a superleitura.

— Superleitura! — repetiram todas as meninas, num cochicho uníssono.

A superleitura acontecia da seguinte maneira: as meninas escolhiam as histórias que mais gostavam e juntavam todas elas numa única, sem intervalos. Era bem simples, para quem, é claro, estava bastante acostumada com a contação de histórias.

Charlote escolheu "O Pequeno Polegar" e sentou-se ao lado de algumas amigas, de forma bem aconchegante, para esperar o momento certo de intervir na história e contar a sua parte. A superleitura era sempre muito emocionante.

— Bom — recomeçou Sophie —, acredito que agora estejam todas aqui.

As meninas se animaram.

Ela abriu o livro de capa dura que separara mais cedo e iniciou em tom de suspense.

— Era uma vez uma linda e adorável princesa que morava num castelo muito distante, juntamente com seu pai, o rei, e sua mãe, a rainha. Ela era dona de um imenso quarto, onde havia uma cama com dossel e um pequenino rato, que era perdidamente apaixonado por ela. — As meninas riram.

— Numa noite pacata, de lua cheia — começou Olívia —, o vento comprimiu as vidraças, como há muito tempo não fazia.

A princesa, no meio da madrugada, levantou-se assustada com todo aquele barulho...

— E, de repente — o dormitório inteiro tapou a respiração, com a voz surpresa da menininha chamada Andréia —, a princesa deu um enorme berro porque por muito pouco não pisara num estranho duende, no pé de sua linda cama. Esperando ela se acalmar, a criatura mágica disse, desesperada, que se ela não voasse até a montanha chamada Alamir e não destruísse o grande ovo do dragão-estrela, e se não pegasse a pedra opala de dentro do seu estômago gigantesco, ela não acordaria na companhia viva de seus adoráveis pais.

— Com muito medo — continuou Charlote —, ela saiu do castelo e correu para a floresta em busca do mago mais poderoso e velho de que tinha notícias...

— Mas ela foi surpreendida por um menino, cujo estranho nome era Peter Pan — retomou Olívia, levantando-se de tanta empolgação.

Do lado de fora do dormitório a irmã Luciana subia, agora com o castiçal de seis velas numa das mãos e na outra uma cadeira, a fim de se sentar ao lado da porta do quarto onde as meninas estavam, para prestar bastante atenção e não perder nenhum detalhe da superleitura. Seu interesse pelas histórias estava aumentando consideravelmente nas últimas semanas, porém, a Madre Superiora não aceitava uma atitude tão pecaminosa como essa. A pobre freira, mesmo sentindo um medo tremendo da chegada da diretora, nada fez para sair daquela posição, até porque a história vinda de dentro do dormitório trinta e três estava quase chegando ao seu clímax. Achava que a princesa não sairia viva daqueles perigos todos. Entretanto, quem não sairia bem seria ela mesma, pois a irmã Romilda estava bem atrás dela.

5

Uma surpresa desagradável

A madre tocou o ombro da velhinha e, na cadeira, a freira se desequilibrou com o susto. O olhar da diretora, atrás dos seus óculos, era cortante como uma espada e seu rosto, iluminado pela luz das velas, tornava-se mais assustador do que nunca. Olheiras fundas, boca crispada, o buço bem aparente e o pescoço enrugado como o de uma galinha. Era mesmo a irmã Romilda, bem na sua frente.

— O que significa isso? Eu não ordenei a observação dos corredores de dois em dois minutos? Não me lembro de pedir para ficar sentada...

— Irmã, eu precisava pegar...

— Você não vai me explicar absolutamente nada!

Um silêncio sepulcral tomou conta do dormitório trinta e três. A superleitura findara e o que fora temido o dia inteiro começava a virar realidade novamente. Sophie suava frio e as meninas tapavam suas bocas lá dentro.

A voz da Madre Romilda era alta e muito grave. Olívia se lembrava do seu grito ensurdecedor, quando a Beth, do dormitório quinze, buscava uma bola que ficara grudada entre os galhos da jaqueira, no fundo do Orfanato. A garota ficou três dias sem escutar nadinha.

— Eu sempre esperei mais de você, irmã Luciana. Não acreditei que pudesse ser capaz de tanta incompetência. Terá de ir ao Padre Marcelo se confessar amanhã bem cedo, e não quero conversa com as outras irmãs, nem mesmo com as meninas.

— Mas...

— Mas, nada! — disse, deixando três gotas de baba voarem pelos ares.

A Madre voltou a olhar para a frente e com o seu ouvido mais do que limpo, ouviu algo muito curioso vindo da porta mais próxima.

— O que exatamente você faz sentada aí?

A freira, então, levantou-se e olhou para os lados como quem deseja sumir para nunca mais aparecer ali novamente. O que diria?

— Eu... eu estava limpando, quer dizer, arrumando o tapete. Achei que fosse um, um... — Pensou rápido. — Duen... Quer dizer, um rato. Um rato bem grande, daqueles bem gordos e mal-encarados. A irmã jamais iria querer se deparar com um desses, é claro.

A diretora estava convencida de que a história era inventada. Sentia de longe o cheiro da mentira.

— Você voltará para a cozinha e de lá não sairá para mais nada. Nem precisa voltar para o seu quarto essa noite. — Colocou sua mão enrugada na maçaneta da porta e a girou, abrindo-a com toda a força. — Ora! Ora! Ora! Vejam só!

Sua voz trovejou na cabeça das meninas. Seus olhinhos de espanto estavam arregalados e imóveis. Ninguém sabia o que fazer, então, esperaram o pior.

— Achei que o castigo no milho seria o suficiente para que você não pecasse mais. AGORA — começou com os gritos —, TODAS VOCÊS! JÁ PARA SUAS CAMAS!

Devagar, de uma a uma, as meninas colocaram seus livros nas prateleiras, deram boa noite para Sophie e aquelas que não pertenciam ao dormitório trinta e três saíram em fileira, de cabeças baixas, voltando para suas camas.

Sophie encarava a Madre Superiora em silêncio.

— Você desacatou uma ordem, sua pestinha insolente! Vou queimar todos esses livros e pô-la de castigo de manhã, de tarde e de noite.

— Eu só estou tentando me divertir com as minhas amigas. Contar histórias é o que mais gosto de faz...

— BASTA! — gritou a mulher, esticando os braços em direção à garota. Agarrou seu ombro com força e o sacudiu. Sophie fechou os olhos por causa da dor e desceu da cama, arrastada pelas garras da irmã. Lá fora, na porta, a freira Luciana assistia a cena com os olhos em lágrimas e o coração batendo forte. — Você chegou até esse ponto e daqui não vai passar!

6

Castigo

Sem piedade, a Madre Superiora arrastou Sophie até o corredor, com as garras em seu ombro. Juntas, em silêncio, desceram as escadas de madeira e no hall, seguiram por outro corredor escuro, agora em direção à cozinha número dois. Passaram por muitas portas e janelas, até encontrarem outra grande porta, desta vez feita de metal, cuja placa, exposta bem acima dela, dizia: *Materiais de construção*. E mais abaixo: *Proibida a entrada de crianças*.

A freira retirou de algum lugar dos seus paramentos, isto é, de suas vestes, seu grande molho de chaves prateadas, idênticas e, como quem já fazia aquilo todos os dias, acertou de primeira, sem precisar ficar testando a vida toda, qual seria aquela que abriria a porta.

Sophie engoliu em seco, quando a chave fez o craft, craft e mostrou um vazio escuro lá dentro. Parecia mais a morada de um mostro fedorento, com muitas garras e dentes podres, porque a mistura de naftalina, cimento e cola fez sua cabeça girar quando entrou nos buraquinhos do seu nariz.

Assim que seus olhos se acostumaram com a escuridão, Sophie percebeu o brilho de alguns materiais feitos de metal e aço dispostos pelas paredes da sala.

— Entre logo! — ordenou a mulher. — Espero que aprenda desta vez. E seja educada. Ao menos, dê boa noite aos ratos!

Sophie foi empurrada trevas adentro e quando a porta de metal foi fechada atrás dela, seus olhos tiveram de se acostumar mais uma vez com a escuridão densa daquela estranha e fedorenta sala. E a irmã Romilda disse ratos? Não gostava de ratos, ainda mais ao se lembrar do último que tivera de enfrentar, quando usava ainda o dormitório dezoito. Fosse como fosse, se aquele rato aparecesse de novo ela o mataria.

Ah, quanta falta sentia da presença de alguém que lhe amasse e a deixasse ser feliz com suas histórias, que a deixasse brincar com as suas amigas, que lhe compreendesse os sentimentos... e a deixasse longe de ratos horrorosos e fedidos.

Depois de muito tempo sozinha, no breu fedorento daquela sala de materiais de construção, Sophie chorou, sentindo-se derrotada.

É claro que nenhuma menina do Orfanato Santa Maria dormiu bem aquela noite. Olívia sentia-se culpada, deitada em sua cama quentinha. Se ela não tivesse insistido, sua melhor amiga não estaria de castigo naquele momento. Sentia, lá no fundo do seu coração, que teria de fazer alguma coisa para que a irmã Romilda fosse punida pelas suas maldades, mas era preciso ter calma para pensar em tudo bem direitinho.

Somente quando os primeiros raios de sol acariciaram o verde das montanhas, Sophie abriu seus olhos negros e bocejou alto, dando uma rápida estudada na sala onde passara a noite. Levantou-se, batendo com as mãos na sua roupa, agora empoeirada e manchada com alguma coisa que não soube identificar naquele momento porque ainda estava um pouco tonta de sono.

Quando olhou mais acima, encontrou a janela de onde surgia a tímida luz do dia. Por debaixo da porta de metal também se espremia uma luz amarela e ela pôde observar alguém se aproximando.

Naquele momento seu corpo inteiro tremeu e a cabeça pareceu um formigueiro de ideias. Sentia, no meio da testa, algo como um choque bem de leve, que ia ligando seus sentidos do topo da cabeça até a ponta do dedão do pé. A sensação de que poderia fazer algo grandioso a invadiu como nunca. Sua imaginação fervilhava e a intuição de que algo novo acontecia lhe encheu de coragem.

A Madre Romilda abriu a porta e apareceu para Sophie com um sorrisinho no rosto, exibindo um olhar satisfeito, de quem havia de fato vencido a batalha contra o pecado. Tinha numa das mãos um saco recheado de milho para galinhas, preparado para o castigo do dia.

— Saia daí — ordenou a Madre.

De repente, sem que nenhuma das duas esperasse, um rato gordo e bem grande saiu do meio de um dos sacos enormes de cimento e correu desesperadamente por entre as pernas da freira. Quando o animalzinho passou por elas, olhou de um lado para o outro e deu partida para a cozinha, donde sempre saía o melhor de suas refeições diárias. Mal sabia a criaturinha que já havia três enormes pás prestes a lhe esmagar a qualquer instante.

Sophie foi arrastada novamente para fora da sala, e sentiu algo estranho lhe acontecer, mais uma vez, no meio da testa. Imaginava o rato com perfeição, correndo e tentando se enfiar nos cantos mais escuros para se proteger. Mas, é claro que o que ela queria mesmo era que o animal voltasse para onde ela e a irmã Romilda estavam, pulasse nas vestes da freira e de lá não saísse mais. O mais engraçado de tudo isso é que, de fato, aconteceu. A velha diretora dançava de uma forma tão estranha que todas as meninas riram de sua cara como nunca fizeram. E seus risos a acompanharam até o quintal do Orfanato Santa Maria.

Algumas meninas tentavam entender o que estava acontecendo e logo a notícia se espalhou, não só dentro do orfanato, mas por toda a cidade, em poucos dias. A mulher ficara tão vermelha, tão enraivecida com o ratinho, que acabara deixando o milho de lado para se concentrar na dura tentativa de tirar a criatura de dentro das próprias vestes, o quanto antes.

Sophie, ainda sentindo um intenso formigar na testa, sabia que tudo o que imaginava estava acontecendo naquele momento e, de fato, o ratinho fazia tudo que ela pensava. Odiava ratos e sabia que a diretora também os odiava.

O choque estranho na testa não durou muito, porém, o que estava feito acontecia e não parava. O rato continuou nas vestes da freira até o momento em que ela o agarrou, saindo de uma das suas mangas e o atirou longe.

Pobre animal, pensaram as meninas.

— Você! — Apontou a diretora Romilda para Sophie. — Venha já aqui. AGORA!

Ela, então, pôs as mãos novamente no saco de milho e esparramou todo o seu conteúdo ali mesmo, na frente de todas as internas do orfanato.

As amigas de Sophie não aceitavam aquilo, ou melhor, nenhuma menina aceitava. Todas elas adoravam suas histórias, sua imaginação, o seu amor pelos livros e, de certa forma, adoravam aquilo também. Não poderiam ficar de braços cruzados, olhando aquela cena.

— Não é pecado a Sophie nos fazer feliz — gritou Olívia, indignada.

— Como voc... — tentou dizer a irmã Romilda.

— A Sophie é uma menina do bem — disse Charlote em defesa da amiga.

— Contar histórias não é pecado — falou Andréia.

— Pecado é o que a senhora está fazendo com ela — protestou outra menina.

— Eu só conto histórias, irmã. — Sophie deu um passo à frente, olhando nos olhos da Madre Superiora. — Eu também não tenho pai e mãe, e não sei se vou ter. Minha única família são vocês. Eu só quero ser feliz aqui.

— Você, garota chata, está certa. É muito, muito provável mesmo que ninguém venha a adotá-la — soltou a freira, cuspindo.

— Madre Romilda! — gritou a irmã Luciana em advertência, abrindo espaço entre as meninas. — Não diga uma coisa dessas.

Sophie, naquele momento, tornou a sentir aquele estanho choque na testa. Os dedos ficaram dormentes e a cabeça fervilhou de ideias. O silêncio cortou o ar e, de repente, ninguém parecia nem mesmo respirar. Havia uma tensão nas meninas e nenhuma delas era capaz de dizer o que viria a seguir.

O sol ardia sobre suas cabeças e lá no chão, o milho, misteriosamente, começava a tremer.

— Olha, vejam só! — Era Olívia. — O milho vai estourar!

Sophie imaginou e estava imaginado. Tudo acontecia como num passe de mágica. Os milhos estouraram em pequenas flores brancas, crocantes e deliciosas. As pipocas rolavam, pulavam e sambavam quando atingiam o chão. A cabeça da Madre começava a pipocar também, e aqui uso essa palavra para dizer que a freira rabugenta começava a ficar um tanto perturbada, por causa de tantas coisas estranhas acontecendo numa única manhã de sol.

O orfanato estava sob a ameaça das trevas, só podia ser. Mas, Sophie tinha certeza que não. Era sua imaginação dando vida ao que parecia ser impossível.

— Vou contar todas as maldades que você faz para o Padre Aberlado e ele nos ajudará!

A irmã Luciana levou a mão à boca, arregalando os olhos miúdos e viu, como um relâmpago, a contadora de histórias correr em direção ao portão da rua.

— Sophie! — gritou, correndo atrás dela.

A menina usou a força para empurrar um dos lados do portão de entrada e saída do Orfanato Santa Maria, afastou algumas correntes sem cadeados e sentiu uma forte golfada de vento afastar o cabelo que caia nos seus olhos, ouvindo gritos de "vivas" e "iupiii" de suas amigas, atrás de si.

Antes que pudesse continuar correndo, de súbito, foi surpreendida por enormes cavalos parados na calçada do orfanato, dispostos em fileiras. Eram negros, tão bonitos e brilhantes que fizeram a menina esfregar os olhos e voltar dois passos para trás.

Os animais conduziam uma carruagem de madeira com detalhes cuidadosos em ouro e pedras de um brilho hipnotizante. As rodas atingiam o tamanho de Sophie e também tinham a cor dourada, tão redondas quanto o rosto da irmã Luciana.

Nunca havia visto tão linda carruagem e pelo que parecia, pertencia a alguém muito rico ou até mesmo a um nobre.

De dentro dela desceu uma mulher com o mais elegante dos vestidos desenhados e costurados. Era de um branco mais branco que qualquer página de papel, com detalhes refulgentes de azul claro. Usava também um chapéu com detalhes impressionantes em formato de flores, com renda no rosto, a fim de se proteger do sol. Apesar da tristeza no olhar, seu rosto era delicado e jovem. Seu cabelo descia ondulado pelos ombros, castanho bem claro, como a cor dos seus olhos.

Quando se aproximou de Sophie, sorriu timidamente e se abaixou para ficar na altura dela.

— Olá! Como vai?

7

A senhora Anne

Quando nos vemos ameaçados ou mesmo em dificuldades no cotidiano, nossa primeira reação é enfrentar. Porém, quando não conseguimos sozinhos, solicitamos a ajuda necessária de um outro alguém. Nesse caso, o auxílio de Sophie veio de forma inesperada e, claro, da forma mais inesquecível possível, tão grande a beleza daquela a qual a irmã Luciana chamou de:

— Senhora Anne! — A freira, ofegante, segurou o ombro da menina, posicionando-se atrás dela. — Desculpe pelo susto!

Sophie contemplava a face angelical da rica e jovem mulher, ainda assim, não tinha muita certeza de que ela poderia lhe ajudar naquele momento.

O rosto de Anne, subitamente, ficou muito sério. Nesse mesmo instante, viu se aproximar outra freira e, sem que desejasse ou imaginasse, sentiu sua fúria de longe.

Sophie voltou sua atenção para as freiras e num relâmpago de pensamento, não fez outra coisa senão abraçar a Sra.

Anne. Com os braços da mulher envolta do seu corpo, sentiu algo que jamais achou que teria sentido na vida: uma certeza inexplicável de segurança e amor.

— Por favor... — Sophie conseguiu sussurrar.

— Sra. Anne, por favor, solte a criança — pediu irmã Romilda, sem disfarçar a raiva.

A jovem moça não entendeu ou não quis acreditar na ordem. Por isso, sem que esperassem, Anne apertou mais ainda a menina contra o peito.

Os olhos da Madre por muito pouco não a perfuraram.

— Com muito respeito, irmã Romilda, essa criança parece amedrontada e não vejo motivos para deixá-la ir nesse momento.

— Sra. Anne, essa menina está cumprindo seu castigo e nos ameaçou, deixando o orfanato sem a nossa permissão.

Anne não era uma desconhecida, Sophie pensou. Poderia ser pela sua beleza, talvez, ou até mesmo por sua riqueza, mas nunca ouvira falar sobre ela.

Vez ou outra, antes do anoitecer, pessoas diferentes visitavam o orfanato com o objetivo de se aproximar da criança a qual desejavam adotar. Era possível que ela tenha visitado o lugar alguma vez no passado, ou mesmo estivesse ali para buscar alguém. Naquela rua não havia comércios interessantes, nem mesmo mercado próximo para que ela deixasse sua carruagem e passeasse por ali.

Depois de alguns segundos em silêncio, Anne afastou o rosto dos ombros da menina, tomando sua altura de costume, encarando-a nos olhos com bondade e um sorriso leve nos lábios. Porém, antes que Sophie pudesse se virar, sentiu um empurrão forte no braço, que tirou metade da alegria que sentia naquele momento e foi arrastada de volta para perto do portão do orfanato.

— Espere! — pediu Anne apressada e muito comovida. — Eu venho para fazer uma visita ao orfanato, portanto, também vou entrar.

A diretora não disse nenhuma palavra e deixou a moça lhe acompanhar até sua sala.

Assim que Anne desfilou pelo quintal, todas as meninas cochicharam entre si, sorrindo e acenando admiradas. Enquanto andava seu vestido balançava como as ondas do mar e seu perfume, uma fragrância floral vinda da Índia, hipnotizava cada uma delas.

Lá dentro, a Madre Superiora largou o braço de Sophie e apontou o dedo magro para seu nariz.

— Vá para seu dormitório imediatamente e não saia de lá. Daqui a pouco você retornará às suas atividades.

A freira Luciana acompanhava a cena, mas não deixou a irmã Romilda lhe ver. Precisava ir se confessar o mais breve possível e não queria ter outros castigos para pagar.

8

Adotada

A ilha *Terradomonte* não existia em mapa algum e era habitada, principalmente, por seres pequeninos e sem educação. Moravam com pássaros, macacos e outros animais, e monstros bizarros, menos com os seres humanos, porque eles nunca tinham pisado naquelas terras estranhas.

Estras era um desses seres barrigudos e bem miúdos, com cheiro de terra e roupa antiquada. Porém, era um dos grandes guerreiros da ilha e sabia usar uma espada (do tamanho de um alfinete) com muita sabedoria e agilidade.

Numa noite gelada de muita chuva, comendo jabuticaba na árvore que escolhera como casa, foi surpreendido por um enorme trasgo das cavernas, balançando o seu galho. Antes de puxar a espada na cintura, sentiu a respiração falhar e bem preso nos dedos grossos do monstro só conseguia olhá-lo com espanto. Seria o seu fim, com certeza.

Trasgos adoram comer duendes, por isso, seria normal entrar nas estatísticas de morte naquela semana. Perdera o amigo Valon esmagado por um trasgo, Trisdan engolido por um trasgo e Varonil, o Grande, numa bela farofa de trasgo. Agora seria a sua vez.

A madre Romilda era bem parecida com um trasgo das cavernas, com toda aquela ferocidade, garras enormes, olhos fundos e a boca sempre torta em sinal de desaprovação.

Sentada em sua cama, sozinha no dormitório, Sophie levantou a cabeça, antes mergulhada no livro *A Ilha Terradomonte e o Duende Valente*, e olhou o céu azul lá fora com tristeza. Não conseguia entender tanta maldade numa freira que tomara o cargo de diretora, antes ocupado pela irmã Alda, há dois anos. Prometia tempos novos e agradáveis para todas as meninas. Hoje era impossível imaginá-la sorrindo, abraçando ou conversando com elas ou suas amigas sobre o dia, sobre os estudos, sobre livros.

Com certeza, toda criança merece ser amada e ter pessoas boas ao seu redor para dar carinho, educação e momentos agradáveis. Viver num lugar como aquele, com a Madre Romilda sempre lhe perseguindo, não era a melhor coisa a se pensar. Estar no lugar de Sophie e de muitas meninas do Orfanato Santa Maria era muito desagradável.

Sophie deitou na cama, mas levantou depressa assim que Olívia entrou no quarto, bateu a porta e a abraçou, aliviada. A menina parecia cansada e seus olhos estavam bem abertos. Sentou-se ao lado de Sophie, tentando manter uma suposta euforia, forçadamente contida dentro do peito.

— Sophie... — Olívia quase chorava. — Eu não sei bem quem é aquela mulher, mas estou achando que ela veio adotar uma de nós. Escutei agora a pouco, a tal Sra. Anne perguntando como andava o processo...

O coração de Sophie parou por um segundo. Outra pessoa batia na porta. A irmã Tereza a abriu devagar e olhou para dentro, varrendo os olhos pelo dormitório até encontrar as duas meninas conversando, sentadas na cama. Ela sorriu, quando as duas crianças a olharam e sem dizer uma palavra, a freira chamou Sophie à sua presença.

Sophie e Olívia não entenderam o chamado, mas nem por isso a contadora de histórias ficou ali parada. Olívia a empurrou da cama, encorajando-a. Lá no fundo do seu coração já sentia que a partir daquele momento alguma coisa muito importante aconteceria. Notavam um frio embaraçoso na barriga, todas elas.

Logo, um rubor tomou conta de suas faces e dura como uma estátua, Sophie acompanhou a freira até a sala da Madre, com Olívia ao seu lado. Não entraram juntas, porém, Sophie foi acompanhada pela irmã Tereza, de mãos dadas, até encontrarem novamente a bela e jovem senhora Anne, ao lado do trasgo das cavernas.

— Sophie! — chamou a moça, com um sorriso angelical impresso no rosto. — Você está bem, minha querida?

— Estou sim — disse ela, um tanto desconfiada.

Como um trovão, a voz da Madre Romilda fez Anne e Sophie estremecerem. Sophie sentia algo diferente vindo daquela jovem mulher, parecia algo mágico, um amor inexplicável, daqueles que a gente podia tentar pegar com as mãos.

As duas viraram para a irmã Romilda e esperaram ela falar novamente.

— Bem, todos os papéis já estão assinados, carimbados, rubricados e incrivelmente avaliados. Há um parecer positivo para a sua adoção, Sophie.

Quando a freira terminou de dizer aquelas palavras, a porta da sala irrompeu em comemorações. Eram as meninas do orfanato, que escutavam tudinho com os ouvidos grudados à porta. Gritavam, batiam palmas e davam vivas à

Sophie. Ela mesma não acreditava naquilo tudo e demorou alguns segundos para entender o que realmente acontecia.

Sim, Sophie fora adotada pela senhora Anne, a mulher mais rica de que se tinha notícia. E se alguém tivesse dúvidas quanto à veracidade desse fato, era só buscar nos jornais mais antigos por essa manchete: *A rica senhora Anne adota menina do Orfanato Santa Maria*.

Mesmo que a alegria invadisse seu peito, Sophie sentiu um grande aperto ao ver suas amigas chorando de felicidade.

Olívia dava pulinhos e também deixava cair algumas lágrimas de seus olhos. Ela acreditava sempre que aquele momento chegaria, por isso já podia imaginar a quantidade de coisas que a amiga iria ganhar. Uma casa grande, um quarto só para ela, manhãs agradáveis e beijos de boa noite.

Ainda que Sophie não acreditasse muito nesse momento, por causa de sua idade, Olívia nunca deixou de acender o pinguinho de esperança dela. Agora, Sophie é quem corria para abraçar a grande amiga, do outro lado da sala.

— Obrigada, Olívia! — Sophia sentiu o calor intenso do corpo da menininha e seus soluços em seu ombro. — Você sempre será minha amiga, sempre! Não se esqueça de continuar as superleituras, os encontros... E quando você crescer, escreva um livro para todas nós. Promete?

— Prometo sim! — disse Olívia sorrindo e limpando o rosto, agora muito vermelho.

Anne assistia a cena emocionada. Enxugou as lágrimas que escorriam dos seus olhos com um paninho branco, retirado de suas vestes e depois de alguns minutos, muito paciente e feliz, disse a Sophie que lhe daria um dia para organizar seus pertences.

E, juntas, enfim, partiriam para sua nova casa.

9

A despedida

No dia seguinte, quando o sol finalmente alcançou as grandes janelas do dormitório trinta e três, Sophie se espreguiçou na cama e sorriu, ainda de olhos fechados. Assim que se levantou, correu até a janela, olhou o quintal lá embaixo e o pedaço da rua lá fora, sentindo uma pontada no peito. Um susto, de repente, pressentindo o quão difícil seria dizer adeus. Porém, sua ansiedade era cheia de alegria e assim que abriu o armário para começar a arrumação das malas, suas amigas acordaram também.

Olívia, Roberta, Aninha e as outras quinze garotas, grandes e miúdas, correram para ajudar Sophie, separando vestidos, sapatos, brinquedos e tantas outras coisas mais. Quando Andréia separou uma enorme pilha de livros para ela levar, Sophie preferiu deixá-los, para que as amigas tivessem sempre com eles por perto, para jamais se esquecerem dela.

Enquanto arrumavam a mala, juntamente com Sophie, recordavam dos momentos felizes que viveram e concluíram que tiveram sorte de tê-la no dormitório trinta e três, e como foi divertido passar por todas as confusões que envolviam a Madre Romilda. Agora, sentiam-se completamente à vontade para rir de tudo, e cantaram também.

Ofélia amava soltar sua voz, por isso compôs uma música para Sophie. Ela leu feliz:

Sophie, até logo, minha amiga
Se a saudade apertar e a tristeza chegar
Lembre-se dos nossos sorrisos
Das nossas cantigas
Dos momentos de alegria
Que nunca imaginamos terminar

Talvez, um dia nos vejamos
Cedo ou tarde, quem sabe?
Só quero desejar, para agora e sempre
Felicidades, amiga

Com você, nós sempre estaremos
E você, conosco, sempre estará.

Palmas foram batidas e a menina, orgulhosa, abraçou Sophie. Parecia ser a coisa mais difícil para se fazer, até porque, enquanto viviam no orfanato, despediram-se de poucas meninas. Mesmo assim, acontecera há muitos anos e elas ainda eram pequenas.

De qualquer maneira, sempre foi um recomeço para a vida delas e o sopro de esperança, de um dia poder morar com uma família de verdade, as aliviava do terror de viverem até se tornarem adultas sob o regime da Madre Superiora Romilda.

No orfanato viviam muitas crianças felizes, inteligentes, carinhosas, amigas de verdade. Talvez, a senhora Anne pudesse adotar outra garota. Porém, escolhera Sophie e isso fora motivo de grande felicidade para todas as internas.

Se pudesse levar Olívia com ela, pensou, assim que a amiga ajudou a fechar sua mala. A menininha parecia ter chorado a noite inteira. Seus olhos estavam bem vermelhos e ela fungava o nariz de trinta em trinta segundos. Pobrezinha, pensou Sophie, e passou a mão carinhosamente em seu rosto.

Antes de sair do dormitório, preparou-se bem, como todos os dias fazia. Tomou banho, penteou o cabelo, escolheu as fitas para amarrá-los e perfumou-se, porém, desta vez, não usou o uniforme de sempre para as tarefas e estudos. Preferiu usar seu vestido cor-de-rosa até a metade das pernas, com rendas e bordados em flores. Terminando, voltou a sentir o friozinho na barriga e os pensamentos embolando na cabeça.

Sophie foi acompanhada pelas amigas até o pé da escada. Lá embaixo, entretanto, algo de diferente acontecia no orfanato. De repente, um enorme grupo de freiras começou a desfilar pelos corredores, todas cochichando algo no ouvido das outras, olhando de esguelha para as meninas, que ficaram paradas, observando a agitação.

Sem que esperassem, o Padre Abelardo apareceu de uma das portas laterais, na companhia apreensiva da irmã Luciana, que havia se confessado com ele no dia anterior.

O que poderia ter acontecido?

— Meninas! — a irmã Luciana gritou, animada, enquanto o Padre seguiu por outro corredor. — Vocês não vão acreditar!

A Madre Romilda teve de ser afastada de seu cargo aqui no orfanato. Alegaram que o lugar estava com muitas pragas, principalmente ratos. Ninguém gosta de ratos e por isso os vizinhos denunciaram. — Ela olhou para os lados. — Confessei-me com o Padre Aberlado e o mesmo ficou indignado com as maldades da Madre Romilda. Nós amamos histórias e não há pecado nenhum nisso. Por isso crianças, de hoje em diante faremos nosso clube de leitura.

As meninas pularam de alegria e prometeram ajudá-la no que fosse necessário para que aquele clube continuasse para sempre. Ali mesmo, naquele instante, Olívia foi convocada para ser a líder e as demais concordaram sem queixas. Sophie, maravilhada, perguntou pela diretora Romilda, para onde ela iria e quem tomaria o seu lugar.

Repentinamente, todas se calaram e prestaram atenção na inesperada resposta:

— Prestimosa, sempre amei trabalhar em orfanatos. Por isso e pelo meu currículo, serei a nova diretora de vocês. — As meninas deram "vivas", enquanto o desfilar de freiras não cessava atrás dela. — A irmã Romilda também foi denunciada — e nisso, abaixou a voz e murmurou: — pela senhora Anne, que presenciou sua tentativa de castigo, Sophie. Não teremos mais castigos assim aqui e jamais teremos ratos neste orfanato. O Padre Abelardo precisará assinar alguns papéis e eu outros, porém, estamos longe...

— Do trasgo das cavernas! — disse Sophie, acompanhada de gargalhadas das amigas e da irmã Luciana.

A freira foi abraçada por todas as meninas.

Por muito tempo, irmã Luciana foi a única freira a dar o maior dos carinhos para as crianças do Orfanato Santa Maria e era considerada uma grande mãe, sempre muito zeladora, carinhosa e orientadora. Seus olhinhos, quase que fechados, encheram-se de lágrimas, mas não por muito tempo, pois o Padre Abelardo a chamara para outros compromissos, antes que o momento da despedida de Sophie acontecesse.

A manhã se arrastou de forma bastante diferente naquele dia. Quando o relógio anunciou a chegada das dez horas, todas as internas já sabiam: Sophie estava de partida. Então, não demorou muito, o portão do Orfanato Santa Maria ficou abarrotado de garotas de todos os tamanhos, empurrando-se assim que as carruagens da senhora Anne viraram a esquina e levantaram poeira, estacionando bem na frente delas. Os cavalos negros pararam, obedientes, balançando a crina bem cuidada.

— UAU! — soltaram elas, hipnotizadas com tanta beleza.

Anne desceu da carruagem, acompanhada de três homens muito bem vestidos, segurando, nas mãos enormes, sacolas com brinquedos dos mais variados tipos e tamanhos. E doces de todos os sabores do mundo, trazidos para as meninas do orfanato. Foi uma festa e tanto!

Charlote ganhou uma incrível casa de bonecas, com mais de duas bonecas por cômodo. Olívia ganhou uma linda maquininha de escrever e bombons de chocolate branco e preto. Aninha levou um tremendo susto e riu da caixinha com um palhaço dentro, e se encantou com os pirulitos de cereja, no mesmo momento em que Ofélia já experimentava as balas de banana, olhando para a sua girafa de pelúcia, que esticava e diminuía o pescoço.

Sophie ganhou um belo livro, bonecas e doces de frutas variadas. Estava tão feliz e triste ao mesmo tempo, que mal se dava conta de que o momento passava mais rápido do que o normal.

— Agora precisamos ir, minha querida — disse Anne. — Vamos tentar chegar em casa antes do almoço.

— Tudo bem! — disse Sophie, um tanto quieta e triste, como as amigas.

Então, deu um abraço bem apertado em Olívia, na irmã Luciana e se despediu, balançando os braços, já dentro da carruagem.

Todas acenaram de volta e não muito tempo depois, o cocheiro responsável por guiar os cavalos deu partida e os animais começaram a galopar, sempre em frente, até que, finalmente, Sophie, os cavalos e a carruagem desapareceram de vista.

10

A Viagem

Na primeira encruzilhada, quando Anne e Sophie riram uma para a outra num singelo e feliz aperto de mãos, como quem quisesse transpor coragem para a outra, a menina sentiu um aperto no peito. De repente, sentiu que algo realmente novo estava por vir e algumas lágrimas escorreram por sua face. Finalmente estava com uma família de verdade e indo para a sua casa. Claro, era difícil Sophie chorar, mas, naquele momento, não segurou nenhuma emoção. Emoção em demasia escorre pelos olhos.

Ruas e avenidas, becos e algumas vielas passaram rapidamente pelos olhos pretos de Sophie e para espantar um pouco dos medos que ainda a assombravam, achou melhor conversar com a senhora Anne. As duas riram, brincaram e conversaram sobre histórias. A mulher se lembrou de sua infância, sempre numa enorme mansão, rodeada pela família numerosa, e de seu gosto pela pintura e pela música clássica. Era apaixonada por violinos e pianos e, por sorte, um dos seus tios a ensinara com perfeição a tocar esses belíssimos instrumentos.

Sophie nada sabia de música, mas sim de livros e vários autores. Citou diversos deles com paixão e alegria, e a mulher ficou encantada.

— Lembrei-me de uma história contada pelo meu pai, quando eu era criança — disse a senhora Anne. — A história de um menino muito inteligente, que era capaz de criar remédios maravilhosos para seus animais. Num dia qualquer, ele descobre que seus remédios foram roubados por criaturas mágicas, moradores da floresta. Meu pai contava essa como ninguém.

— Já li essa com as minhas amigas! — Espantou-se Sophie com o relato. — É uma das minhas favoritas.

Lá fora, os cavalos galopavam com velocidade, levantando cheiro de terra e capim. O cocheiro mantinha misteriosamente sua cartola na cabeça e, de quando em quando, levantava as rédeas para que num estalar os animais disparassem, sempre mais rápido.

— É muito longe? — perguntou Sophie.

A senhora Anne sorriu e disse:

— Muito longe, por isso precisamos de muitos cavalos que sejam rápidos e saudáveis. Talvez, não esteja tão acostumada com esse tipo de transporte, não é mesmo?

— Sim, senhora — respondeu Sophie. — Via sempre uma carruagem quando ia com as freiras do orfanato à Igreja, no centro.

— Acredito, minha pequena, que tenha sido até mesmo essa. Dificilmente há muitas carruagens nessas redondezas. O grande amor da minha vida era apaixonado por cavalos e passeios no centro. Gostávamos muito de ir ao teatro, à Igreja... Era um grande homem.

— Era? — Sophie perguntou baixinho, com cuidado.

— Sim, minha querida, sim. Era...

O olhar de Anne parecia mais distante. Àquela altura, foi transportada para aquele bom tempo, quando ainda o canto dos pássaros e a beleza das flores tinham sentido em sua vida.

De repente, suas mãos ficaram geladas, suas lembranças fortes a calaram e, então, desviou a atenção para o lado de fora da janela. Ouvindo o galopar apressado dos cavalos, voltou a imaginar o quanto o marido foi capaz de lutar para sobreviver. Era um respeitado soldado, guerreiro experiente, um coração raro dentre os homens de guerra. Porém, chegou o dia em que a morte o invadiu sem piedade, a dor, o pranto, a solidão e nada mais.

Anne desejava ardentemente uma filha com o marido. De um jeito ou de outro, ali estava Sophie para preencher esse vazio e provavelmente lhe traria muitas alegrias também.

Mas, para sua surpresa, deu-se conta de que tudo aquilo desaparecia lentamente da memória naquele momento e de novo só havia floresta, o barulho de rodas, cavalos e, claro, o cheiro do capim. Estavam quase lá agora, para que pudesse viver melhor. Outra página seria escrita em sua vida.

Voltou a olhar para Sophie com carinho e beijou sua face, num abraço cheiroso e aconchegante.

A carruagem da senhora Anne penetrou a floresta, sendo envolvida pelo maravilhoso cheiro dos galhos e folhas do lugar, enquanto que o céu já não mais brilhava intensamente em luz, pois era encoberto pela copa das árvores.

No entanto, passado algumas horas, o clima ficou mais frio, as nuvens no céu se amontoaram, cinzentas, provocando chuviscos e encobrindo o sol. Parecia noite, mas não era. Logo, uma espessa neblina escondeu a estradinha à frente e a velocidade da carruagem foi reduzida, tomando Sophie de ansiedade. Como desejava chegar à mansão, conhecer seu quarto e quem mais morasse por lá.

— Falta muito para chegarmos? — perguntou a menina mais uma vez, sem deixar de olhar a sinistra neblina do lado de fora.

— Só mais um pouco, acredito. Com a estrada desse jeito fica muito difícil para os cavalos enxergarem alguma coisa. Precisamos de mais paciência.

Sophie, então, não disse nada mais. Quando as árvores se mostraram visíveis, depois de alguns minutos, pôde enxergar melhor a terra coberta de folhas secas, do outro lado da estrada. Sentiu um formigar estranho na cabeça, como aquele sentido no orfanato. Era engraçado porque pelo corpo parecia passar uma forte corrente elétrica e sua visão melhorava instantaneamente.

De repente, a menina podia ser capaz de enxergar vaga-lumes se transformarem em fadas de voo veloz e beleza nos pousos. Os seres viram a carruagem e decidiram segui-la em igual velocidade. Sophie nada disse, observando estupefata, pois tudo aquilo parecia muito real. E era sim.

— Estamos quase lá! — avisou o cocheiro, adivinhando a ansiedade da menina.

A alegria dela foi tanta que não se conteve e pôs a cabeça para o lado de fora da janela, sentindo o ar gélido e pequenas gotículas de chuva molharem suas bochechas e testa.

Em meio a pouca neblina, surgiu um portão gradeado e comprido, cercando a tão aguardada mansão da senhora Anne. Era de uma beleza sem igual, pois parecia um castelo com muitas janelas, em sua maioria, enormes e de vidro. Havia algumas torres pontiagudas, de forma que iam decaindo de tamanho, tanto para um lado como para o outro. De onde estavam não conseguia ver mais do que isso.

— Enfim, chegamos! — avisou a senhora Anne, abrindo um alegre sorriso, assim como o de Sophie.

11

O jardineiro

Sophie tinha certeza de que a mansão da senhora Anne seria algo de espetacular beleza, entretanto, deparou-se com tantos detalhes na sua construção que tudo o que vinha imaginando de bonito se tornou simples e muito distante da perfeição de suas paredes, cores, janelas e portas. Passaria horas só admirando.

O cocheiro abandonou seu lugar na carruagem, descendo até a portinha donde Sophie sairia. Com muita gentileza e um sorriso no rosto, o homem, de vestes longas e bonitas, estendeu sua mão direita e a ajudou a descer os dois degraus até o chão. Rápido, buscou a mala da menina e a entregou. Não estava muito pesada, até porque ela não possuía muitas roupas nem pertences.

Olhando a mansão agora, parecia maior. Ainda chovia um pouco, mas nada que pudesse molhar muito e lá ao longe, uma neblina espessa formava uma extensa faixa, que cobria o que parecia ser um enorme lago, bem em frente à mansão.

A senhora Anne desceu da carruagem endireitando seu chapéu na cabeça e foi ao encontro de Sophie, com alegria. Estava radiante, quando esticou o braço e abriu a mão à espera da mãozinha da menina. Assim, juntaram-se e pararam, ainda, em frente ao grande portão gradeado.

A mulher esticou o pescoço para tentar ver melhor o que tinha à frente e, de repente, chamou:

— Alberto? — Esperaram. Ela voltou sua atenção à Sophie. — Você está bem, querida? Parece com frio. Lá dentro ficaremos mais quentinhas. Vamos beber algo bem gostoso para espantar esse frio. Aqui o clima é muito mais gelado, por causa da floresta e do lago.

Mas antes que Sophie pudesse respondê-la, um senhor muito enrugado apareceu ao longe, caminhando apressado, com um gordo molho de chaves na mão. Enquanto pisava, as chaves tilintavam como um sino e quanto mais se aproximava, mais enrugado parecia e mais emburrado aparentava. Será que ele era bem-humorado? Sophie acreditou que não. A tristeza não preserva a beleza da juventude, nem mesmo a maldade, embora Sophie desconfiasse que se tratava somente de alguém muito triste.

— Esse é o nosso querido jardineiro — disse a senhora Anne. — Ele já está na família há três gerações. Começou muito novo aqui.

Quando, finalmente, Alberto chegou, gesticulou as mãos com teatralidade e buscou a chave correta para, enfim, abrir o portão. Não disse nada, nem mesmo sorriu, o que Sophie já esperava. Então, colocou a chave na fechadura e girou com força para um lado e para o outro, crispando os lábios e enrugando a testa mais do que já estava. Empurrou o portão para si e, nesse momento, Sophie notou que suas mãos estavam muito sujas. Provavelmente, por causa da terra que remexia constantemente. Suas bochechas também pareciam sujas de terra e sua barba era um tanto cheia de pelos desorganizados e duros.

— Olá! Prazer conhecê-lo... — tentou Sophie com um sorriso. Alberto balançou a cabeça, mas permaneceu com o olhar perdido no horizonte.

A garota, sem graça, deu seus primeiros passos naquele que era o enorme quintal da mansão da senhora Anne. De fato, mais à frente, havia um grande lago negro, o que trazia uma certa calmaria ao local. Do outro lado, um pouco mais distante de vista, na orla da floresta, algo como uma toca de coelho gigante estava rodeada de rosas vermelhas. Não conseguia enxergar se havia porta ou não, porém, dali, era como se fosse um corredor, um tanto curioso e diferente.

— O que é aquilo? — perguntou Sophie.

A senhora Anne sobressaltou-se e sorriu, tímida. Não respondeu rapidamente, porque aparentava estar elaborando uma ótima resposta para a pergunta.

A menina ficou ansiosa.

— Sim, sim, sim... Aquilo ali é um jardim, Sophie. — Ela semicerrou os olhos, como se as palavras tivessem machucado sua boca. — Só lhe peço, por obséquio, que não se aproxime muito, por causa dos espinhos das rosas. É perigoso. Está vendo aquele muro ao lado? É inteirinho de espinhos. Não costumamos andar muito cedo nem muito tarde por ali. Há lobos também, que podem correr atrás de nós.

Sophie não ousou fazer nenhuma outra pergunta. Os pelos da sua nuca arrepiaram. Então, seguiu em frente, acompanhada de Anne.

12

A mansão

Talvez, ao abrir um dicionário, você nunca tenha procurado saber o que significa um jardim, porque, provavelmente, isso seja algo muito comum no nosso dia a dia. Se não próximo de sua casa, certamente, encontrou um ao menos na vida.

Para aqueles que nunca procuraram saber o que realmente significa um jardim, aqui está: *local de cultivo para diferentes tipos de plantas e vegetais.*

Tão simples e sem graça esse jardim do dicionário. Para Sophie era muito mais. Seria um lugar perfeito para:

1. Cultivar plantas ou vegetais de todos os tipos;

2. Esconder muitos segredos;

3. Encontrar passagens secretas no chão;

4. Deparar-se com árvores assustadoras e retorcidas;

5. Ver fadas, gnomos e ogros por todos os lados;

6. Observar pássaros de diferentes espécies e insetos curiosos;

Um lugar para ser visitado, com certeza.

A senhora Anne e Sophie caminharam bastante até chegar a uma grande porta de carvalho entreaberta. A madeira brilhava, ainda que não houvesse sol e seus detalhes, alguns em dourado, reproduziam talhados com esmero, flores e animais diversos.

Atrás delas, Alberto ajudava o cocheiro a levar os cavalos para o estábulo.

Quando Anne colocou a mão na porta para empurrá-la, ouviram-se alguns passos apressados se aproximando. Quem fosse, pisava num ritmo que mais parecia o coração de Sophie naquele instante.

De súbito, surgiu uma mulher da escuridão lá dentro, aparentando muito surpresa com a chegada de ambas. Sua respiração era rápida e nos olhos o espanto, por ver a senhora Anne ali na sua frente. Nada fez, apenas ofereceu um sorriso sem jeito. Não era velha, mas também não muito nova. Seu nome era Doroti, uma das empregadas da mansão.

— Senhora Anne — disse ela. — Achei que só retornaria à noite. — E numa tentativa vã, passou a mãos pelo cabelo para arrumá-lo. Seu rosto estava vermelho como um tomate.

— Achei que tinha avisado que hoje seria um grande dia em nossas vidas, por causa da chegada de Sophie — disse Anne, paciente. — Falei ao papai que não demoraria. Aliás, ele está? — perguntou, por fim, entrando de mãos dadas com a menina.

— Não está, senhora. Na verdade, ele foi fazer o que é de costume.

— Trabalhar... — completou Anne, desapontada: — É o que mais gosta de fazer, apesar da idade avançada. Até quando vamos pedir para que ele tenha uma vida mais sossegada? Enfim, não quero me chatear hoje, porque Sophie chegou. Lembra, Doroti, do tanto que venho falando sobre ela?

— Claro, senhora! Todos os dias — Doroti fingiu um sorriso.

Sophie não pôde deixar de observar toda a sala de estar daquela enorme casa. Muitos detalhes eram em madeira, todos bem envernizados. As portas, as escadas, os móveis, tudo era impecavelmente limpo e brilhante. No chão havia um tapete imenso, de onde, através dos seus desenhos em bordado de prata, projetavam-se formas interessantes nas paredes, por causa da pouca luz que ainda surgia das janelas. Todas eram imensas e de vidro, estando as cortinas majestosamente alinhadas e limpas. Logo anoiteceria e por isso, algumas lâmpadas elétricas lá no alto, num imenso lustre, já estavam acessas.

Havia duas escadas largas, uma no lado direito e outra no lado esquerdo da sala, com seus degraus atapetados de vermelho escuro. Nas paredes, quadros de mulheres e homens, rostos ainda desconhecidos por Sophie, ora alegres ora sérios. Lembrou-se da sala da Madre Romilda, com aqueles quadros estranhos exibidos nas paredes.

Quando voltou sua atenção para o primeiro andar, percebeu que abaixo de uma dessas escadas havia um corredor, do qual surgia uma luz fraca, iluminando o que parecia ser a armadura prateada de um guerreiro medieval. Achou tão estanho aquilo que ao invés de admirada, ficou assustada. Ele segurava uma espada numa das mãos e no outro braço usava um escudo, ornado com um brasão dourado. Estava preparado para qualquer guerra.

— Doroti, leve Sophie ao seu novo quarto. Preciso ir ao escritório com urgência.

— Vamos, então — disse a empregada, despedindo-se e segurando a mão de Sophie. Na outra mão, a sua mala.

Eram muitas novidades para a menina. Cada lugar, cada porta ou janela gerava uma demorada surpresa e enquanto degustava uma delas lá vinha outra novidade, mais intrigante ainda.

A despedida da Sra. Anne não lhe agradou, o que tornou aquele momento um pouco solitário e assustador. Doroti não parecia muito à vontade com ela. Sophie, por sua vez, sentia perfeitamente uma certa desconfiança vinda de empregada. Sentia-se avaliada o tempo inteiro por aquela mulher.

Enquanto subiam a escada, o segundo andar se desenhava devagar aos olhos de Sophie e, de repente, mais um longo corredor, com janelas enormes e portas e jarros e quadros. Observou as portas de madeira, cada uma apresentando um estilo diferente, uma cor e um desenho, tudo com muito esmero e brilho. Uma delas estava aberta e, por sorte, Sophie viu o que tinha lá dentro. Era uma extensa sala, de um perfume muito agradável, cujas paredes eram cobertas de estantes com centenas de livros de cores diferentes. Sim, era a biblioteca da mansão da Sra. Anne e por isso também era composta de mesas e algumas poltronas bem espalhadas pela sala, iluminadas por um impressionante lustre de cristal pendurado no teto.

Sophie ficou hipnotizada. Os livros eram o que mais amava no mundo.

— É maior... maior que o meu dormitório no orfanato.

Doroti sorriu, admirada.

— Essa é a biblioteca do Sr. Irineu, seu avô agora.

— Será que até eu morrer vou conseguir ler tudo isso? — Pensou alto a menina. — Talvez eu consiga ler até mesmo os mais difíceis, os de ciência...

— É melhor irmos andando antes que fique mais tarde.

— Sim, sim — disse Sophie, mexendo a cabeça positivamente.

As duas continuaram andando até o final do corredor e virando à direita, Sophie foi novamente surpreendida. Desta vez era uma espécie de sala de estar, com sofás enormes, lareira e uma janela de vitral colorido, cujos pedaços montavam um gigante pássaro marrom claro, cujo tamanho passava de três metros, do chão ao teto.

— É fantástico! — disse Doroti, parando com Sophie para ver os detalhes do grande pássaro. — O estilo gótico me fascina. O que me desagrada é o momento da limpeza. Cada pedaço de vidro deve ser muito bem limpo, senão, ao longe, a imagem fica imperfeita. Sou a única que limpa esses vitrais.

No teto havia uma espécie de pintura muito característica das igrejas que Sophie visitara fora do orfanato, junto com as irmãs. Num céu azul de anil, anjos de diferentes formas, armados de arco e flecha e com semblantes delicados e puros, podiam ser vistos. As paredes eram de um dourado encantador e no chão fora colocado um tapete verde esmeralda.

— Está vendo aquelas três portas no fundo da sala?

— Sim, estou — respondeu Sophie.

— A porta do meio pertence ao quarto da Sra. Anne.

— E as outras duas?

Doroti ia começar a falar, mas algo a fez mudar de ideia.

— Vamos subir por aquela outra escada e logo estaremos no seu quarto. Por favor... — Doroti ergueu a mão à frente, num sinal para que Sophie continuasse andando. A menina a olhou e voltou a atenção para as duas portas, porém, não insistiu. Seguiu por onde precisa ir, mas não se esqueceu daquela pergunta sem resposta.

Subindo, então, a escada apontada por Doroti, Sophie sentiu a maciez que era o tapete que cobria os degraus. Não fazia barulho algum. Dos corrimões era possível ver os andares lá embaixo e com muita sorte, os incríveis detalhes de um dos lustres de cristal da mansão, também.

Como pode tudo ser incrível? Pensou ela.

Ao chegar ao terceiro andar, as duas se depararam com uma senhora muito baixinha, de óculos enorme e pele enrugada. Ela limpava com bastante atenção uma armadura duas vezes maior que seu próprio corpo, enquanto usava a outra mão para tentar fechar uma das janelas que ficava próxima.

— Aquela é a Nise — avisou Doroti, tentando buscar alguma coisa no bolso de seu vestido azul. Era uma chave. — Acho que é mais velha do que esta mansão. Ela odeia que toquem nas armaduras e se eu fosse você jamais faria isso.

Doroti puxou a chave do vestido no mesmo momento em que pararam em frente a uma porta branca. Ela enfiou a chave na fechadura e girou, dando uma leve empurrada com o ombro.

O coração de Sophie pulou.

Seu novo quarto era de uma delicadeza incomum. Nunca imaginara nada parecido. A grande janela, logo atrás da cama, enchia o quarto de luz, apesar do mal tempo. Tudo ali era limpo, cheiroso e bem cuidado. Bonecas nas estantes, livros em outras. Agora tinha o próprio banheiro e mais de um único par de sandálias.

Apesar de ainda não conseguir ver o que tinha nos armários, o tamanho deles já indicava a enorme quantidade de roupas que agora eram suas.

— É lindo! — exclamou emocionada, olhando de canto a canto, do teto ao chão.

O lençol azul da cama cheirava a rosas e era muito macio, assim como o tapete. Quando correu para a janela, Sophie a abriu, sentindo o aroma de chuva invadir o quarto rapidamente. Dela era possível enxergar o lago, negro como a noite, o estábulo onde ficavam os cavalos e o misterioso Jardim da Sra. Anne, cujo aviso para não se aproximar a deixou muito curiosa.

— Daqui à uma hora vamos servir alguma coisa para que possa comer. Fique à vontade para estar conosco na cozinha — disse a empregada, entregando a mala da menina.

Sophie fez um sim com a cabeça e se despediu de Doroti. Tudo parecia um sonho.

13

Uma pergunta inesperada

Uma coisa ficou nadando na cabeça de Sophie, depois de colocar tudinho no seu devido lugar, em seu novo quarto. Notou, pela janela, que o clima parecia ficar cada vez mais gelado e não era só por conta das nuvens, brisa e neblina do lado de fora, mas também pelos pensamentos e questionamentos que fazia a si mesma sobre as pessoas daquela enorme mansão, seu novo lar.

Percebeu um nervosismo crescente na Sra. Anne, assim que chegaram e quando da sua partida para o escritório, horas atrás. Conseguiu notar também certo desconforto por parte de Doroti e isso fora acompanhado por olhares de esguelha, voz arrastada e um semblante um tanto obscuro, daqueles de filme de terror.

Poderia, é claro, ser a primeira impressão. Afinal, estava num lugar novo, conhecendo pessoas novas, porém, não conseguia deixar de pensar em todas essas impressões.

O lanche na cozinha aconteceu de forma muito tranquila e agradável. Sophie encontrara uma linda mesa posta com flores, xícaras de chá, bolos, pudins e pães de diferentes tamanhos e formatos. Assim que chegara à porta, a Sra. Anne apareceu de uma das portinhas, de dentro da cozinha, retirando às presas um avental e sacudindo ele no ar sozinho, como uma princesa de contos de fadas.

— Vamos comer — disse ela, ajeitando-se na cadeira e chamando a menina com um aceno de mãos. — Eu preparei alguns pães para amanhã. Fique à vontade para comer o que desejar, minha querida. Quero que saiba que quando não conseguir me ver, é porque estou resolvendo algumas coisas... coisas importantes com meu pai. Aliás, acho que ele comerá conosco. Ele dará aulas para você também. Fui educada em casa e disso não me arrependo. Pode ter certeza de que ele fará um belíssimo trabalho com você. — Terminando, engoliu seu chá preto.

O Sr. Irineu não apareceu e também ninguém mais. Sophie, interrompendo o silêncio, contou de suas experiências no orfanato, explicou sobre os dias de castigo, elogiou a irmã Luciana e disse sentir falta das amigas.

Despedir-se de toda aquela vida não era tão fácil, mas a Sra. Anne a acalentava com seu sorriso e palavras de ânimo. Talvez, fosse o melhor para aquele momento, o que lhe dava forças, mas ainda sentia com os olhos marejados de lágrimas.

A mulher disse que iria com ela, fazer uma visita ao Orfanato Santa Maria e que levaria presentes para todas as meninas e flores para as irmãs. Não disse quando, mas Sophie se sentia bem melhor agora.

Ao se despedirem novamente, Sophie retornou para o seu quarto, observando, durante o percurso, que havia muitas luzes acessas e que a sala com o magnífico vitral era agora iluminada por uma potente lareira. O pássaro ali retratado parecia duas vezes maior e mais assustador. Passou às pressas para não encará-lo por muito tempo.

Assim que abriu a porta do seu quarto, Sophie não viu, mas sentiu quando, sem esperar ou mesmo acreditar, chutou uma enorme pedra. Tal foi a surpresa que caiu no chão, num tombo que fez as janelas estremecerem.

Procurou saber o que havia lhe derrubado e jurou ter visto uma sombra escorregar acelerada entre a fresta da porta. Quando viu a pedra franziu o cenho e se levantou depressa, correndo para a porta não fechada, olhando para um lado e para outro.

Não viu ninguém, então, voltou para o quarto e para a pedra, que era do tamanho de uma caixa de sapatos, e descobriu um bilhete amassado por debaixo dela. Estava escrito: “Quem é você?”

Sophie não conseguia pensar no que fazer, tal a confusão na sua cabeça. E, então, escutou algo lá fora e voltou a olhar para o corredor. Quando assim fez, não acreditou no que viu. Uma pessoa corria.

Tomada de coragem, correu também, com o bilhete amassado na mão. Mas, por mais que tentasse acelerar o passo, mais distante ficava daquela pessoa.

Desceu a escada para o segundo andar e parou com os olhos bem abertos no meio da sala dourada. Uma das três portas estava entreaberta e Sophia sabia que uma delas pertencia ao quarto da Sra. Anne. Tentou chegar a tempo, mas alguém a fechou num baque ensurdecedor. A menina congelou. Não ousou chamar quem fosse, nem mesmo olhar por debaixo da porta. Quem seria?

Sophie desceu até a sala de estar à procura da Sra. Anne ou de quem fosse, para que pudesse lhe ajudar. Olhou para todos os lados e, por fim, abriu a porta que dava para o quintal. Entrando, juntamente com um frio de cortar a espinha, vinha Doroti, a empregada de quarenta e poucos anos, carregando nos braços lençóis e roupas bem dobradas.

Sobressaltada, a mulher gritou e bateu a porta atrás de si, sem deixar nenhuma peça que trazia cair no chão.

— Garota, quer me matar de susto?!

— Desculpa! — pediu Sophie com as mãos na boca. — Alguém entrou no meu quarto e deixou um bilhete perguntando quem eu era. Eu vi uma pessoa e ela entrou numa daquelas três portas da sala dourada.

Doroti, espantada, andou com passos muito pesados e ritmados até um pequeno armário sob a escada. Colocou os lençóis e roupas lá dentro e fechou depressa.

— Siga-me até a cozinha, vou lhe contar.

14

Thomas

Passo por passo, Sophie e Doroti se aproximavam da cozinha que, para além da aparência rústica como se fosse construída na idade média, era triste e cheirava a repolho com alho. Nas paredes, panelas de prata, de cobre e barro reluziam, ainda que pouca luz estivesse acessa. Eram tantas que poderiam ser doadas para o Orfanato Santa Maria, sem que ninguém notasse a falta. Os armários eram feitos de madeira muito forte, com detalhes esculpidos com esmero, em lilás e branco. Guardavam, claro, outras panelas, pratos, copos. E no centro da cozinha repousava uma enorme mesa com oito cadeiras, onde aconteciam as refeições diárias.

Não era possível que ali vivesse somente a Sra. Anne, Irineu e outros empregados, que não eram tantos!

Doroti puxou uma das cadeiras e esperou que a menina fizesse o mesmo. Antes de começar a falar, respirou fundo e soltou o ar, crispando os lábios, como se fosse contar algo difícil. Sophie temeu por um momento, mas sentou-se também.

— Vou contar porque acredito que você precisará compreender e conhecer algumas coisas dessa casa e dessa família. — Doroti tinha um semblante sério, que inspirava à rebeldia. Sophie tinha medo. — Não precisa ficar com medo dessas brincadeiras. Quem fez isso com você foi o Thomas, filho da Sra. Anne...

— Ela tem um filho? — Espantou-se Sophie com a revelação.

— Sim, e ele tem a sua idade. Thomas parece não gostar de ninguém, é muito reservado, mas é esperto e inteligente nas suas peripécias. Apronta e se esconde nas trevas, feito um rato. Dias desses tinha terra por toda a casa e bilhetes de "arrume e limpe se puder". Tive de limpar todos os andares... Como ele fez isso? Não sei. Só sei que ele não suporta estar aqui, não suporta até hoje ter perdido o pai.

— A Sra. Anne era casada?

— Ela... A família ficou muito abalada com a morte de Anísio. Ele era soldado e morreu em combate. Foi uma enorme comoção. — Doroti abaixou a cabeça, visivelmente abalada por relembrar momentos que pensava ter esquecido. Não esperava que o retorno das lembranças a abalassem novamente. — Thomas foi quem mais sofreu a perda. Ele sempre foi um menino muito travesso, mas alegre. Podíamos vê-lo brincando pelos corredores ou soltando pipa lá fora. Quando soube da notícia, trancou-se no quarto e a Sra. Anne passou dias batendo na sua porta, implorando para que ele falasse com ela. Aos poucos, como venho observando, a família está se recuperando e agora que você está aqui conosco, trará a alegria que está faltando. Talvez agora a Sra. Anne volte a sorrir como antes e... — parou de repente e retornou a falar em tom mais baixo, sem olhar para Sophie — e... talvez, abra novamente o jardim. Ela nunca mais o abriu para ninguém. Acho que nem os passarinhos tem permissão de entrar.

— Por que não?

— Anísio construiu o jardim especialmente para a Sra. Anne e antes de morrer deixou enterrada a grande fortuna da família bem ali. Uma boa e gorda fortuna.

— Sempre gostei de jardins. Gostaria de um dia ir lá para conhecer...

— NÃO! — deixou escapar Doroti, espantando-se com o próprio grito, olhando para os lados para se certificar de que ninguém estava por perto. — Nem que você tente. Nunca diga isso a ninguém, nem pense ou fale alto como fez agora.

Doroti se levantou e correu até a porta da cozinha. Quando teve certeza de que não havia ninguém por perto, voltou a se sentar. Ela deu mais uma respirada funda e continuou, bem baixinho:

— É realmente muito lindo lá dentro, tão lindo quanto qualquer outro lugar por perto. Mas alerto para que nunca mais pense nisso, a menos que não queira ter uma vida tranquila nessa casa. Thomas sabe das coisas. Eu sei que ele sabe, rato das trevas...

Sophie não queria ter ouvido a última frase da empregada. A única ideia que vinha à sua cabeça era conhecer Thomas e entrar no jardim da Sra. Anne.

15

Quando a coragem fala mais alto

A noite chegou apressada por causa da chuva que agora caia suave, acariciando as janelas, fazendo barulhos gostosos lá em cima, no telhado. Sophie decidiu ficar fora do seu quarto e conhecer mais o novo lar. Permaneceu um bom tempo descendo e subindo as escadas, estudando detalhes da mobília, tentando entender os quadros da parede, deixando-se ficar tonta de tanto que olhava os detalhes lá do alto, esperando que alguém pudesse aparecer e, talvez, surpreender-lhe.

É claro, tinha a impressão estranha da observação de pessoas, às escuras. Hora ou outra, virava a cabeça rapidamente, quando sentia que seria surpreendida por alguém logo atrás de si. Se realmente Thomas existisse, ele poderia aparecer a qualquer momento. Então, esperou que isso pudesse acontecer cedo ou mais tarde.

Eram sete horas da noite, quando a chuva avançou para o sul, deixando uma espessa névoa do lado de fora da mansão e um frio de deixar os pés congelados, mesmo vestidos com meias. Mais velas foram acessas, o cheiro de comida no fogo fez a barriga da menina roncar, por isso, cansada de esperar, voltou decepcionada para o quarto. Antes, porém, observou por alguns instantes na sala dourada, se alguém iria sair de seus quartos, mas nada aconteceu. Somente um susto a tomou, assim que uma lufada de vento assobiou bem forte ao passar pelas frestas das janelas.

Quando passou pelas armaduras, sentiu que todos aqueles falsos guerreiros podiam se mover, prontos para atacar qualquer pessoa má que se atrevesse a enfrentá-los. E, mesmo que não tivesse ninguém por perto, ninguém com quem conversar ou brincar (porque todos pareciam muito atarefados), Sophie não se sentia tão só.

Ela era capaz de ver criaturas engraçadas a seguindo. Uma dessas era minúscula. Parecia — a quem olhasse muito depressa — uma borboleta, porém, tinha um tamanho diferente. Sophia sabia que se tratava mesmo de uma fada. As fadas existem, mas são seres da floresta. Talvez, essa estivesse perdida por ali ou tivesse entrado sem querer, no mesmo momento em que ela entrou na mansão. Agora, a criatura olhava para fora pela janela, saudosa, para a floresta, para a sua casa.

O desejo de Sophie era ajudar a criatura, mas quando tentava ela voava assustada e se escondia na escuridão.

Desistindo, continuou até seu quarto.

Antes de abrir a porta, parou mais um instante para ver se alguém não iria sair bem naquele momento. E como se pudesse prever alguma coisa, Sophie foi surpreendida por barulhos estranhos vindos do quarto ao lado. Era uma confusão de ruídos diferentes, como se alguém procurasse uma agulha no palheiro.

Sophie chegou mais perto e encostou o ouvido na porta, mas o estardalhaço que vinha lá de dentro parou de repente. Ela tapou a respiração e recuou. Esperou em silêncio e, como se alguém desconfiasse de alguma presença ali por perto, ela viu, com os olhos bem abertos, a maçaneta da porta girar lentamente. Seu coração batia forte, e sem esperar, outra criança, muito branca, olhou para ela, sem que pudesse ser vista por completo. Seus olhos se cruzaram por um segundo e num impulso de coragem, Sophie impediu que Thomas fechasse a porta novamente, segurando sua mão não se sabe como, deixando que dela caísse uma pedra. Sobressaltada, a menina não conseguiu agarrá-lo novamente.

Muito rapidamente, Thomas escapou correndo, sem que Sophie pudesse ao menos ver melhor seu rosto. Ele parecia brincar, mas aquela pedra certamente tinha um destino traçado: o seu quarto.

Sophie seguiu aquele vulto. Atravessou os corredores, desceu escadas e o barulho dos pés no assoalho fez os quadros das paredes estremecerem. Ela podia ouvir Thomas rindo, o que fez com que apertasse cada vez mais o passo.

Cruzaram mais um corredor e entraram na biblioteca. Sophie parou na porta, suada e bastante cansada, constrangida porque havia um velhinho sentado numa poltrona vermelha, fumando um cachimbo de haste grande e negra. De trás de toda aquela fumaça que subia lentamente, surgiu um olhar fundo e um semblante sério. Era Irineu, pai de Anne, seu novo professor.

— Então, é você — disse o velho, retirando o cachimbo da boca e abrindo um sorriso.

16

Irineu

Irineu usava um terno muito bem alinhado e elegante. Ainda que a biblioteca não estivesse muito iluminada, Sophie observou um broche bem apertado na altura do seu peito. Era dourado e tinha a forma intrigante de um livro de páginas abertas. Seus sapatos também traziam um brilho bem chamativo e os óculos redondos, caídos no nariz, revelavam um semblante intelectual, como o de alguém que devesse ser respeitado por sua vasta sabedoria. E de fato, deveria. Talvez fosse o homem mais inteligente da cidade, pois havia lido muitos livros de diferentes idiomas e dos mais variados tipos. Seu trabalho exigia demais de seu tempo e não lhe oferecia muitos momentos junto da família. Irineu era chefe de uma fábrica de máquinas para fazer papel e isso lhe rendia mais do que precisava para viver naquela imensa casa.

— Anne contou sobre você. — Sua voz era grave e num ritmo acelerado. — Aliás, minha filha sempre desejou uma menina.

Sophie sorriu sem graça.

— Pegue uma cadeira — pediu o homem.

Na realidade, não havia muitas cadeiras na biblioteca, apenas poltronas bem acolchoadas, distribuídas próximas à luz e a uma estante diferente, estando as cadeiras um tanto mais afastadas e deixadas de lado.

Ela andou sem jeito até uma mesinha do outro lado da sala e puxou a cadeira bem devagar, até bem próximo de Irineu. Ao sentar, sentiu o frio da almofada.

— Gosta de livros? — indagou o velhinho, conduzindo o olhar da menina para os livros ao redor com um gesto simples das mãos.

— Na verdade, gosto muito. Eu tinha vários no orfanato. — respondeu ela com entusiasmo na voz, sentindo-se mais confortável. — O senhor é dono de todos esses livros?

— Sim e não. A maioria foi adquirida durante minhas aventuras ao redor desse mundo. Meus amigos costumavam me presentear com livros, porém, apesar disso, eles pertencem a todos desta casa.

— Então, poderei ler todos? — Sophie perguntou, chegando o corpo um pouco mais para frente.

— Claro que sim! — Sorriu Irineu, puxando a fumaça do cachimbo e soltando com prazer. — Ah, desculpe! Não me recordo seu nome, querida... Sara?

— Não, não... Sophie. — respondeu, retribuindo o sorriso alegre e amigo.

— Que menina adorável — disse ele, satisfeito. — Uma criança que ama os livros não perde a oportunidade de aprender sempre mais e mais. Há muito não conheço uma criança que se encante com livros.

Sophie, então, lembrou-se de Thomas. Ele havia entrado com ela tão rápido que, talvez, nem mesmo Irineu o tenha visto. Ou essa conversa toda era para que ela esquecesse mesmo de sua presença e ele conseguisse escapar com sucesso?

Apesar de sua curiosidade e de sua ansiedade para conhecê-lo, ela não queria estragar aquele momento com seu novo professor e avô, logo agora que descobrira alguém que também era amante dos livros.

— Já conheceu a casa? — Irineu percebeu que o cachimbo havia apagado mais uma vez, então, o deixou de lado. — Há muito o que descobrir aqui.

— É tudo muito grande e novo para mim. Estou conhecendo aos poucos. Meu desejo é poder sair e conhecer a floresta, o jard...

Irineu não deixou Sophie terminar, pois tossiu muito forte, pegando um paninho branco às presas de dentro do bolso da calça e escondendo a boca.

— Desculpe, minha querida! — disse ele ao terminar. — A mudança de tempo me deixa neste estado. Bem... a hora se arrasta e o jantar já, já estará pronto.

Então, Irineu se levantou e devolveu o lenço ao bolso. Foi até a mesa mais próxima e apagou algumas velas, fazendo Sophie se levantar também. Irineu fez com que ela o seguisse até a saída, porém, Sophie não poderia ir embora sem que visse Thomas novamente, então parou.

O velhinho olhou para trás e parou também.

— Deseja pegar algum livro, Sara?

— Sophie, senhor. — Ela não poderia recusar uma boa leitura, muito menos, deixar de perguntar sobre Thomas. — Eu gostaria muito, mas antes... posso fazer uma pergunta?

O homem virou-se por completo em direção à menina e acenou com a cabeça positivamente.

— O senhor viu um... ah... um menino entrar aqui na biblioteca? Eu o vi correndo...

Irineu sorriu.

— Thomas, você foi descoberto. Pode aparecer.

Imersos num silêncio desanimador, Sophie ainda olhou para todos os lados, para ver de onde ele sairia e de surpresa pudesse dar um “oi”.

Há anos Irineu construíra uma passagem secreta em meio aos livros da estante, que chamava de Norte, caso ocorresse uma invasão por bandidos e assaltantes. Apertando um botão secreto ela se abria, revelando a porta para uma escuridão fantasmagórica. Um menino, pouco maior que Sophie, surgiu muito zangado por conta da descoberta. Thomas tinha onze anos, na verdade. Cabelo cor de terra e olhos muito verdes, iguais aos do seu pai.

— Oi! — disse a menina, cruzando os braços.

17

Sebo nas canelas

Thomas não sorriu. Ficou ali, imóvel, encarando Sophie bem nos olhos, com as orelhas pegando fogo de nervosismo. Irineu, que observava a cena, sorriu e deixou a biblioteca sem se despedir. Com sua saída, um silêncio sepulcral se fez, nada comum até mesmo para uma biblioteca.

— Então, você é o menino que deixou o recado no meu quarto, né? — perguntou Sophie num tom pouco simpático. Não queria arrumar confusões em sua recém-chegada à mansão. — E vi que você ia colocar outro, quase agora.

— Você é a nova menina. — Não foi uma pergunta. Ele cruzou os braços.

— Nova menina? — Sophie sorriu em tom de deboche. — Meu nome é Sophie.

— Continua sendo uma menina — replicou ele.

Thomas nem mesmo tentava ser agradável. Sua voz era grave e ele carregava certa ironia no olhar, possivelmente para irritar ainda mais a quem o interpelasse.

Não podia ser verdade o que a mãe acabara de fazer, trazendo uma menina para estar naquela casa junto com ele. Só podia ser um castigo porque ele não ajudava em muitas coisas, assustando os empregados, escapando das aulas e desobedecendo Anne quando lhe dava ordens.

— Vejo que você é muito inteligente. — Sophie reconheceu, na tentativa de deixá-lo mais calmo. — E esperto também.

— Ao contrário de você, provavelmente. Meninos são mais inteligentes do que meninas. — Thomas não queria fazer amizade. — Você é muito intrometida, isso sim.

Sophie semicerrou os olhos, como se aquelas palavras a estivessem queimando por dentro. Thomas continuou lançando seu olhar gélido, mas desistiu de ficar ali por muito tempo. Passou por ela e bateu a porta atrás de Sophie, fazendo rodopiar no ar lufadas de vento frio, que chegaram como chicotes até as costas da menina.

Sophie ficou sozinha no escuro, mas se lembrou de que, ainda assim, poderia contar com a amizade de todos os livros da biblioteca de Irineu.

Antes que o dia pudesse clarear novamente, Sophie se levantou e ficou sentada na cama, sentindo-se um tanto sozinha dentro daquele quarto enorme, só para ela. Acostumar-se com essa novidade seria, talvez, a mudança mais desafiadora, porque sempre acordava acompanhada de muitas amigas, mas retornar para o orfanato não passava por sua cabeça. Ter uma família era tudo o que desejava e estava muito contente. Claro, ainda estava conhecendo todos e esperava que sua má impressão de Thomas não se perpetuasse por longo tempo. Ele era muito sozinho, ao contrário de Sophie, que tinha certeza de que ele precisava de companhia para desfazer todo aquele mau humor.

Assim que terminou o desjejum, vestiu-se com um casaco bem pesado, botas e luvas e correu para caminhar lá fora, para ver o enorme lago negro. Era incrivelmente escuro, de tal forma que nada que estivesse no fundo poderia ser visto, mesmo depois de muito esforço. Apesar disso, havia peixes e porque não, uma sereia muito tímida, de olhos verdes e cabelo borrado de loiro, olhando Sophie com desconfiança e sumindo segundos depois. Era magnífico, pois quando o sol tocava sua superfície, seu brilho fazia desenhos ondulados e esbranquiçados nas antigas e borradas paredes da mansão, dando-lhe uma beleza exuberante, tal como um espetáculo de luzes numa noite muito escura. Suas bordas, enfeitadas com rosas brancas e outras espécies de flores amarelas e alaranjadas, encantavam qualquer um que o visse.

Mais adiante, Sophie observou o quão grande era aquele lugar. Árvores de copas abundantes e altas, como se já estivessem ali por vários e vários anos; pássaros de diferentes espécies, num céu timidamente claro. Viu, ao longe, alguns se empoleirarem nos galhos. Outros buscavam comida e voando bem próximo de sua cabeça, arriscando-se naquele frio. Àquela altura, Sophie via sair de seu nariz uma névoa esbranquiçada, denunciando o quão gelada estava a manhã.

Conforme andava, devagar, abria alguns caminhos curtos por entre folhas secas e terra macia. Forçando um pouco mais a vista e abraçando a si mesma em busca de mais conforto em meio ao frio, Sophie notou uma portinha de madeira, no final de um corredor enfeitado de rosas, pertencente ao

Jardim da Sra. Anne. Tinha um aspecto um tanto estranho e misterioso, um chamariz para sua curiosidade.

Bem perto dali, Alberto parecia mexer na terra, a fim de plantar outra muda de rosa, então, a menina preferiu se aproximar bem devagar para analisar melhor a cena. Assim como Alberto, Sophie olhava de um lado a outro, como se pudesse ser pega de surpresa por alguém a qualquer momento. O lugar era um misto de proibição e beleza, o mais fascinante que Sophie já pôde presenciar na vida. E o fato de ser aquele local um segredo, fazia seu coração palpitar cada vez mais rápido e as pernas tremerem sem parar.

Alberto colocava o resto de terra na cova, quando ouviu passos atrás de si, virando-se abruptamente para ver quem era. Tomado pelo susto, ao ver o rosto da menina recém-chegada e também assustada, ele se levantou e tirou as luvas, lançando um olhar tomado de raiva para Sophie.

A menina ficou calada.

— É melhor você procurar outro lugar para passear. Há lobos famintos por essas bandas e não vai querer ser mordida por um deles, ou vai?

Antes de responder, Sophie imaginou o motivo para que ele se arriscasse trabalhando ali perto, já que havia tantos perigos que pudessem impedi-lo. Entretanto, não conseguiu dizer nada pela boca, mas seu olhar de estranhamento causou no homem uma perturbação, que o fez andar a passos pesados em direção ao portão de entrada, virando-se sem se despedir.

Quando resolveu sair rapidamente dali, desfazendo por completo sua curiosidade de se aproximar do jardim, descobriu outro lugar magnífico, um tanto distante daquele ponto. Era o estábulo, onde os cavalos dormiam e comiam. Como de costume, era bem grande e feito de madeira.

Quando parou para observar melhor, viu um longo corredor, por onde ela avistava, hora sim hora não, a cabeça de alguns cavalos que outrora a trouxeram para a mansão. Ficavam em cocheiras grandes e aconchegantes, onde os animais pareciam ser muito bem tratados e alimentados. Comida e água à vontade, o suficiente para uma vida boa e prolongada.

Do outro lado havia porcos, galinhas e vacas de diferentes cores, e também uma cadeira no canto, onde um jovem estava sentado, estudando meticulosamente as patas de uma égua, um animal forte o suficiente para arrastar três vezes o peso de uma pessoa, caso quisesse ser livre para sempre.

Enquanto o rapaz descia e subia as pernas do animal, a égua relinchava assustadoramente, como quem resmunga de algo que não está gostando.

Apesar de saber o quanto aquilo poderia estar sendo um grande incômodo para o animal, Sophie achou a cena encantadora. Queria chegar mais perto, sem que pudesse atrapalhar o rapaz. Quando resolveu se afastar, pisando bem devagar sem fazer barulho, a voz dele a assustou.

— Eu vi você. — Ele continuou o que estava fazendo, sem se virar.

Sophie parou, surpresa.

— Eu não queria atrapalhar. Parece-me que ela está machucada e você está muito concentrado em ajudá-la, então, preferi...

— Na verdade, não está atrapalhando — respondeu ele, desta vez virando-se para a menina e lançando um sorriso amigável.

Era, de fato, um menino jovem, com seus dezessete ou dezoito anos. Muito magro e usando vestes um tanto surradas. Seus olhos eram pretos, o nariz comprido e fino, o cabelo liso e castanho. Era bonito e seu rosto delicado estava sujo de terra.

— Acho que sei quem é você — disse ele, limpando um pouco as bochechas e passando a outra mão no cabelo para disfarçar os fios rebeldes. Sua voz não era grave e marcante, mas igualmente delicada, macia e porque não, muito simpática. Quando ele ria, seus olhos pareciam ficar iguais os da irmã Luciana, bem fechados. — A Sra. Anne me contou da sua vinda. Desejo que seja bastante feliz aqui.

— Obrigada! — disse um pouco envergonhada. Parecia que a Sra. Anne realmente aguardava com ansiedade sua chegada.

— Está conhecendo o lugar? — perguntou para Sophie, voltando sua atenção para a égua que estava examinando, batendo de leve em seu pescoço e encostando o rosto no animal. — Vai ficar tudo bem — falou baixinho para a égua.

— Estou conhecendo aos poucos. Ainda não tinha vindo aqui fora ver o lago, o jardim... e o estábulo. — Sophie sentiu seu rosto queimar e sua voz embargou quando disse jardim, mas continuou para não parecer tão nervosa.

— Bem, meu nome é Frederico, mas pode me chamar de Fred. É muito mais fácil e rápido de pronunciar. — Ele sorriu e apertou a mão de Sophie, com aqueles olhinhos bem fechados e um sorriso radiante.

Ela sentiu seu corpo enrijecer por completo depois daquilo. O rapaz era tão alto que Sophie se sentiu como uma anã ou coisa do tipo.

— Desculpe por não ter falado com você antes — disse ele. — Acreditei que chegaria noutra semana. Nem mesmo a Sra. Anne achou que seria tão rápido. Espero que se adapte bem a este lar.

— Não se preocupe. Nunca conhecemos alguém na hora errada. — A menina sorriu e quando viu a égua, que recebia cuidados, se agitar mais do que o normal, assustou-se e deu alguns passos para trás.

— Acalme-se, Flor do Dia!

Fred encostou suas mãos no pescoço grosso do animal agitado e sentiu seu pelo quente, eriçado. Seu corpo tremeu numa fração de segundos, preparado para qualquer ataque inesperado. Algo parecia incomodar profundamente Flor do Dia, mas Sophie não conseguia entender. Sua presença era capaz de mudar o comportamento do animal? Nunca tinha visto uma égua tão bem cuidada e tão agitada.

— São todos seus? — perguntou a menina, referindo-se aos animais do estábulo.

— Não exatamente. Os animais são de Thomas, mas sou encarregado de cuidar deles como se fossem meus... Flor do Dia, acalme-se! — Fred começou a falar baixinho o que, para Sophie, parecia algo capaz de trazer paz ao animal. Ele acariciava a fronte da égua e encostava sua cabeça na narina dela. Feito isso, o animal tranquilizou-se. Não demorou muito, Flor do Dia se ajoelhou e deitou no chão, exausta. Fred passou a mão na testa e pensou no que mais poderia fazer para ajudar o animal. — Ela anda agitada demais. Apesar disso, estou cuidando dela todos os dias. Gosta de cavalos, Sophie?

— Adoro! — apressou-se a responder. — Tive a oportunidade de montar uma vez, há alguns anos. Um dos meus sonhos é voltar a montar num desses grandões. Não há sensação maior de liberdade do que montar neles e sentir o vento bater no rosto...

— Então, não seja por isso. Se deseja tanto, escolha um.

— Não, não! Thomas pode me ver e ele não vai gostar. — Assustou-se a menina, arrependida de ter revelado sua vontade. — Ele já não foi muito simpático comigo. Talvez não seja uma boa ideia.

— Não se preocupe com uma besteira dessas. Ele não vem aqui há quatro ou cinco anos. Parece que esqueceu dos seus animais. Talvez ele nem saiba da morte do Rompe Hora. Era o mais veloz dos cavalos que aqui viveram. — Fred não percebeu, mais parecia estar falando para si mesmo. De repente, abaixou a cabeça e recordou o velho amigo com saudades. — Bom, escolha um para você montar.

Sophie não conseguiu esconder a alegria daquele pedido. Seu sorriso ia de orelha a orelha. Não foi uma escolha fácil, pois não os conhecia o suficiente para confiar na montaria. Havia cavalos mais ariscos e outros mais calmos, mas Fred foi dando as dicas, até que, finalmente, os olhos de Sophie encontraram um dos animais mais bonitos do estábulo. Observou ele cuidadosamente. Era forte, grande, sua crina era longa e muito bem escovada. Seu pelo negro brilhava, mesmo que no escuro.

— Esse, com certeza! — disse por fim, apontando para ele.

— Sebo nas Canelas é seu nome. — Quando disse, o animal relinchou. Parecia ter retribuído o chamado do amigo. — É um grande companheiro e um ótimo corredor. Vou lhe dar alguns minutos com ele. Enquanto isso, aproveite para andar ao redor de toda a mansão.

— Sim! — concordou Sophie, dando pulinhos de alegria.

Quase não acreditou no que estava por vir. Aquela sensação gostosa, o vento no cabelo, a possibilidade de experimentar cada segundo das emoções que lhe traziam a vontade de estar por ali sempre, na companhia daquele menino. O olhar que ele lançava para os animais era de uma sensibilidade tamanha que a emocionava, fazendo-a respirar fundo.

Assim que Fred retirou Sebo nas Canelas de dentro da cocheira, ele colocou as selas para que a menina pudesse sentar com mais conforto e segurança. Sophie, com a ajuda de Fred, subiu com cuidado no grande animal, não escondendo a alegria daquela oportunidade. Antes que pudesse falar alguma coisa, o menino esticou o braço e abriu as mãos, dando um tapa certeiro na coxa do cavalo e ele respondeu com um relinchar e um salto para frente.

Tomada pelo susto, Sophie sentiu o coração quase pular fora da boca, mas logo se acalmou, pois o andar de Sebo nas Canelas era vagaroso e obediente, como se já soubesse para onde a menina desejava ir. Sophie ficou maravilhada, tão maravilhada que chegou a pensar em ter um cavalo para si. Quem sabe a Sra. Anne não lhe desse um futuramente. Iria adorar.

Apesar do frio, o vento estava muito agradável. Nada naquele momento era capaz de lhe fazer triste novamente. Uma nova casa, uma nova família, uma nova página na sua vida. Certamente, dali para frente tudo seria diferente, sem contar com as novas amizades que poderiam ficar cada vez mais interessante. Talvez, tenha tido sorte de estar num lugar como aquele... Era só o que gostaria de pensar.

Sebo nas Canelas levou Sophie até o lago novamente. Alberto podava algumas rosas, quando levou um susto e quase mergulhou naquelas águas escuras. Não acreditava no que estava vendo.

Dando quase uma volta inteira no imenso quintal da mansão, Sophie não pôde deixar de observar de longe o vitral da sala dourada, onde o desenho de uma águia gigante, de asas abertas e olhos penetrantes, deixava o ambiente um tanto diferente e mágico.

Quando, finalmente, seu tempo com o animal chegou ao fim, sentiu-se plenamente feliz e satisfeita. Sebo nas Canelas entrou no estábulo novamente e Sophie desceu, correndo em direção a Fred para um abraço em agradecimento.

— Obrigada! Obrigada! Foi ótimo! — dizia ela.

— Quando quiser novamente é só nos visitar aqui.

Sophie não sabia mais o que falar. A única coisa que vinha à cabeça era abraçá-lo forte, a fim de agradecer pela oportunidade.

18

O livro

No dia seguinte, Sophie amanheceu bem descansada e disposta à enfrentar outra aventura. Ainda desfrutava as sensações do dia anterior, do passeio com Sebo nas Canelas e do carinho de seu novo amigo, Fred.

Saber que poderia contar com ele lhe trouxe novo ânimo, porque ainda estranhava toda a rebeldia de Thomas e aquilo a desanimava para tentar outro contato com seu novo irmão. Entendia que, por ser nova na família, ele estivesse nutrindo ciúmes ou mesmo raiva, até porque a atenção da Sra. Anne não seria mais voltada somente para ele. Sempre que há algo novo, em qualquer que seja a situação, tudo se transforma e se adaptar é sempre um desafio. O tempo o ensinaria a ser mais cuidadoso com ela e a esperança de uma amizade, mesmo que no futuro, não lhe abandonava.

Após seu passeio com Sebo nas Canelas, Sophie experimentou seu primeiro dia de aula com Irineu. Mais do que exercícios chatos e questões sem graça, os dois viajaram por mundos totalmente novos. Falar sobre literatura com

Sophie era como degustar a mais gostosa das tortas de chocolate e, por isso mesmo, a tarde foi mais do que especial.

Estudaram Geografia, passeando por diferentes países e culturas das mais exóticas, e falaram dos planetas, discutindo se era possível a vida fora da Terra.

Dado um momento de descanso para o café da tarde, não pararam e começaram a estudar História. Irineu explicou que, na verdade, o Brasil não fora descoberto e emendou dizendo que isso é um grande erro cometido até hoje.

— O Brasil, Sophie, já havia sido descoberto pelos índios e como bem sabemos, eles são os verdadeiros donos dessas terras. Devemos muito respeito a eles. Porém, ainda hoje, vemos muitos índios sendo mortos, abusados ou explorados — explicava Irineu com muita paciência.

Sophie imaginou o tanto de trabalho que os professores teriam para desfazer todo aquele engano. Anos de histórias erradas! Por fim, para terminar a aula daquele dia, Irineu aconselhou Sophie a escolher um livro, ler e trazer uma resenha no encontro seguinte. Como a tarefa não era uma novidade para ela, ficou horas lendo as sinopses e conhecendo os autores, interessando-se por mais de dez livros de uma vez. E essa não era a única tarefa. De todas as disciplinas estudadas naquele dia, ela deveria desenvolver uma centena de outros materiais para as próximas discussões.

Antes da sineta tocar para o jantar, saíram juntos da biblioteca, Sophie com o livro escolhido debaixo dos braços.

— Muito cuidado com o livro, Sophie. Não o rasgue ou manche. Amassando, desamasse; enrugando, desenrugue. Não o deixe no sereno, nem mesmo no sol. Não coma enquanto estiver lendo, nem beba água enquanto o livro estiver em seu colo. Sente-se num lugar confortável e que tenha luz, de forma que não a incomode ou mesmo incomode o livro. Eles sentem porque têm vida pulsando dentro deles também. E não esqueça de que precisaremos conversar sobre ele no próximo encontro, então, traga a resenha.

No dia seguinte, quando o toque da sineta chegou aos ouvidos de Sophie, ela pulou da cama com um cheirinho de bolo de chocolate no nariz. Quando abriu a porta do seu quarto, o cheiro foi ainda mais incrível.

— Bom dia! — disse educadamente, quando viu Doroti na cozinha decorando o bolo com morangos. A mulher apertava a língua entre os dentes, esforçando-se para fazer o melhor que conseguia.

— Bom... dia... menina — respondeu Doroti sem olhar para ela.

Com cuidado, como se qualquer barulho pudesse atrapalhar o equilíbrio dos morangos no bolo, a menina puxou uma das cadeiras para se sentar. Assim que o fez, Doroti colocou a última fruta no bolo e limpou as mãos, batendo uma na outra. Estava lindo! Restava estar gostoso.

— Como vai, Sophie? Vi você ontem com o cavalo de Thomas. Parecia se divertir bastante lá fora, não é mesmo? — Doroti ia falando e cortando o bolo. — Thomas tem um ciúme daquele cavalo... — Seu tom não era dos melhores. Sophie sentia que ela sabia o quanto aquilo magoaria Thomas, se ele a tivesse visto também. — Sebo nas Canelas adora o Thomas e só consegue... bom, conseguia, passear com ele. Como você fez isso? — E colocou o bolo num pratinho para Sophie comer.

Tinha sido o mais gostoso dos bolos já experimentados por ela e o morango fazia toda a diferença no sabor, não somente na sua beleza. Estava com tanta vontade de morder todo aquele pedaço que não percebeu que em duas garfadas deixara apenas farelos no prato. O chocolate era tão delicioso que ela poderia comer pela eternidade, sem precisar parar para alguns goles de água.

Maravilhada com o sabor do bolo, observou, com maior intensidade de sensações e emoções, os raios de sol entrarem por uma das janelinhas atrás de Doroti, inundando a mesa de luz.

— O dia deve estar lindo lá fora — arriscou, respirando fundo e descansando a cabeça nas mãos. — Ontem o Frederico me apresentou o estábulo e foi muito simpático comigo, ao contrário de Thomas. Ele realmente não se afeiçoou a mim, talvez porque eu tenha chegado agora. Fred disse que Thomas já não vai ao estábulo há muito tempo. Acho que Sebo nas Canelas o esqueceu.

Doroti se sobressaltou e revirou os olhos. Se o menino tivesse escutado aquilo, provavelmente nunca mais ia querer olhar para Sophie.

— Não creio que os animais esqueçam seus donos — disse a empregada, incomodada. — O cavalo estava com saudade de dar uma volta...

— Pode ser, é claro. Nos demos muito bem, eu e o Sebo nas Canelas...

— Se eu fosse você, falaria um pouco mais baixo.

— Desculpe! — Ela tinha razão. Thomas poderia escutá-la e não ia gostar nada, nada. — Ontem peguei emprestado um livro interessante da biblioteca — disse, tentando abafar o mal-estar daquele instante. Mas antes que Doroti pudesse responder, fingindo curiosidade (o que não era tanta novidade), Irineu entrou na cozinha sorrindo e se deliciando com o aroma doce, que acabava de entrar por suas narinas com tanta força que sua boca se encheu de água.

— Qual o título de sorte que ganhou a sua curiosidade? — O homem tomou um lugar à mesa e se preparou para comer a enorme fatia de bolo, oferecida pela empregada.

Sem que ninguém o aguardasse, Thomas cruzou a cozinha, logo atrás do avô, fazendo com que Sophie não conseguisse respirar por alguns instantes. Seus olhos o acompanharam, enquanto os do menino estavam frios e perdidos em algo no chão.

— É... Bom dia, Irineu! Thomas... O título é "Montanhas do Leste".

De boca cheia, Irineu assentiu com a cabeça, satisfeito, enquanto outro aroma peculiar invadiu o espaço, alertando a todos.

A Sra. Anne apareceu com um belo coque e um vestido comprido, rosa claro, com rendas mínimas, descalça e um sorriso radiante no rosto. Ao mesmo tempo em que desejava um belo dia a todos, beijava cada um com carinho e afeição.

Sophie ficava encantada com aquela figura angelical, cheia de beleza e educação primorosa.

— Já está pronto para começar a trabalhar, papai? — perguntou ela um tanto surpresa, analisando o terno e o sapato brilhante de Irineu.

— Claro, minha filha! E assim que eu voltar, preciso urgentemente tratar de algo importante com você. — O homem lançou um olhar de esguelha para a filha, enquanto colocava outro pedaço de bolo na boca. — Ê subre u jardi. — falou.

— Papai! — advertiu a Sra. Anne. — Não fale de boca cheia! E depois, de fato, precisamos falar sobre isso, mas não aqui.

— Desculpe, querida! A pressa me fez esquecer os modos. — Sorriu sem graça, limpando os cantos da boca e se levantando rapidamente. — Preciso ir. Desejo a todos um ótimo dia. Com licença... — e partiu a passos largos.

Como Sophie queria que ele permanecesse ali, para conversarem sobre o livro que pegara emprestado, sobre os próximos exercícios e, claro, para não precisar olhar para Thomas com tanto incômodo.

A Sra. Anne estava radiante, experimentando o bolo e elogiando as mãos habilidosas de Doroti. Thomas sabia que aquele assunto do bolo iria render semanas e para ele não estava nem 'tudo aquilo'. Sentia que a mãe fazia um tremendo esforço para parecer feliz, o que o deixava sem graça todas as vezes que precisava estar com ela.

— O que achou do bolo, minha querida? Espero que esteja gostando de estar conosco — disse a mulher, lançando seu sorriso angelical para Sophie e deixando Thomas enojado.

— Estou sim, muito feliz! — disse a menina com toda a certeza do seu coração.

— Desculpe a minha ausência, mas o serviço sempre me chama e acabo perdendo muito tempo... Acho que peguei a doença do papai. — E sorriu, fazendo Doroti dar gargalhadas do outro lado do balcão da cozinha. — Mas estou muito satisfeita de saber que você está feliz aqui. — Seus olhos brilhavam, deixando Sophie extremamente sem graça e com as bochechas coradas.

Thomas comeu uma fatia de bolo, deixando de lado os morangos, tomou seu leite quente e se levantou em silêncio, esperando que ninguém o notasse. Porém, quando cruzou com sua mãe, esta o segurou pelo pulso com pressa e força.

— Aonde vai? — perguntou, interrompendo Sophie, que falava sobre suas acomodações.

— Vou para o meu quarto — o menino respondeu, fitando o chão.

— Não terminamos o café ainda. Não é educado se retirar da mesa antes que todos tenham terminado de comer. Você sabe disso.

Sophie congelou.

— Eu só quero ir para o meu quarto. Agora estou proibido de fazer tudo nessa casa dos infernos? — esbravejou Thomas, puxando o braço e desvencilhando-se do apertão da mãe.

— Thomas!

Doroti esperou que o menino sumisse e voltou sua atenção aos legumes que deveria preparar, antes que o olhar da Sra. Anne pudesse lhe encarar, esperando comentários reprovativos acerca do que acabara de acontecer.

O rosto de Anne pegava fogo de vergonha e mal conseguia encarar Sophie. A menina, por sua vez, levantou-se, deixando que o barulho da cadeira cortasse o silêncio como uma faca ao partir uma batata bem dura.

— Eu vou falar com ele — avisou Sophie um tanto sem graça, mas cheia de coragem.

— Querida, descul...

— Não precisa se desculpar, ma... mãe.

Aquela palavrinha tão singela apertou o coração de Sophie e atingiu o da Sra. Anne como uma flecha, amortecendo-a e fazendo com que esquecesse tudo o que tinha acontecido. De repente, eram só ela e aquela menina, que mal chegara, mas já lhe trazia uma imensa felicidade. Queria abraçá-la mais uma vez e enchê-la de beijos, todavia, algo lhe dizia que não era o momento certo. Esperou a próxima reação da criança, mas ela lhe lançou um sorriso e se despediu, agradecendo o delicioso bolo a Doroti. O olhar da Sra. Anne acompanhou Sophie até que ela desaparecesse de vista.

Na sala, Sophie ainda conseguiu ver Thomas subindo a escada, apressado. O menino, por sua vez, como que sentindo alguém o espionar, olhou para baixo e viu a menina intrometida o fitando.

Maldição! Pensou. E de dois em dois degraus, chegou finalmente na Sala Dourada, ofegante qual um animal cheio de raiva. *Quem é ela para chegar assim? Ela não é da família, nem nunca vai ser!*

Thomas caminhava a passos pesados e à medida que se aproximava de seu quarto a raiva se tornava cada vez mais intensa, a ponto de deixar suas bochechas coradas. Não podia deixar que Sophie roubasse sua alegria.

Por que minha mãe precisa de outra criança para ser feliz, mesmo eu, seu filho verdadeiro, estando aqui?

Ao invés de seguir pela sala de paredes douradas, em direção ao seu próprio quarto, como de costume, seguiu escada acima, em direção ao quarto de Sophie. Lá embaixo, a menina subia logo atrás, entretanto, sem vê-lo, acabou passando despercebida pelo andar onde Thomas poderia ter se escondido e pensou que pudesse ao menos conversar com ele, contar suas histórias, a fim de que não houvesse nenhum outro mal-entendido. Se conseguisse, começaria a acreditar numa boa relação com o menino.

Thomas parecia sempre muito irritado e era muito difícil se aproximar dele, mas se ela ficaria ali para sempre tinha que fazer um esforço ou, de outra maneira, a convivência seria terrível. Porém, ainda dava tempo de mudar aquela situação.

Quando, finalmente, chegou ao terceiro andar, viu que a porta do seu quarto estava aberta. Não pode ser! Pensou e correu até ela, na esperança de encontrar Thomas, mas nem ele nem o livro da Biblioteca de Irineu estavam no quarto.

Sophie se aproximou de sua cama e se lembrou de tê-lo deixado sobre o travesseiro. Retirou ele do lugar, olhou no chão e nada. Mas era certo não estar longe. Pensando nisso, olhou o corredor e viu Thomas com o livro na mão, correndo em direção à escada.

— Thomas, pare agora! Eu não estou brincando — gritou Sophie, mesmo sabendo que de nada adiantaria.

Thomas desceu depressa e saiu da mansão rumo ao vasto quintal, deixando a porta aberta. Sophie logo se viu também correndo, desesperada, engolindo lufadas de vento frio e tentando entender aonde Thomas chegaria, pois em momento algum ele diminuía a velocidade da corrida.

Lá fora, Sophie viu que não tinha ninguém trabalhando como no último dia. Não viu Alberto nem mesmo Fred passando por ali, para que pudessem ajudá-la, se fosse possível.

Aquele livro nas mãos de Thomas era mais do que um livro. Era a confiança depositada em Sophie por Irineu. Ela sabia que não poderia maltratá-lo, ou seja, rabiscar, amassar ou manchar. Se algo acontecesse com o livro, talvez a amizade entre ela e Irineu também estaria ameaçada. Thomas estava sendo egoísta e muito ruim, mas, provavelmente, não entenderia isso tão cedo.

De repente, Sophie tomou um susto. Thomas parou exatamente de frente para o Jardim da Sra. Anne, marcando a grama com os sapatos e revelando olhos cheios de lágrimas.

— Você quer isso? — indagou o menino, soando o nariz e passando o braço no rosto para esconder o choro.

— Thomas, devolve o livro. Não quero confu...

— Então, pega!

O livro voou acima de suas cabeças e sumiu, num instante, atrás do grande muro, resguardado por uma espessa camada de arbustos e trepadeiras. Sophie ainda tentou impedir, mas foi tarde demais.

Estava perdida. Nunca mais teria a confiança de Irineu.

— Você não sabe o que fez! — protestou Sophie com as mãos na cabeça. — O livro era da biblioteca do seu avô! Agora, não vou conseguir fazer minha resenha nem entregar ele de volta!

— Eu vi...

— Viu o quê?

— Você estava montada no meu cavalo, meu cavalo!

— Eu só estava...

— Quero ver você pegar o livro agora! E não adianta falar que fui eu que sumi com ele, ninguém vai acreditar. É mais fácil não acreditarem em você, porque você chegou agora. Você não faz parte dessa família, mal sabe nossos nomes, estranha.

Thomas se virou e voltou a correr para a mansão. Chegando, fechou a porta, deixando a menina do lado de fora.

— Vamos ver se vou ou não conseguir pegar o livro de volta! — Sophie gritou para ele, mas já era tarde.

19

Em busca da chave

Sophie voltou sua atenção para a portinha de madeira no final do corredor florido do jardim, lembrando das advertências da Sra. Anne para que não chegasse perto daquele lugar, por conta dos lobos que espreitavam a orla da floresta.

Enquanto esteve parada ali, não sentiu ameaça alguma ou mesmo perigo, por isso, com cuidado e silêncio, decidiu chegar mais perto e tateou a portinha, à procura de uma maçaneta. É claro que estava fechado, porém, não havia outra opção senão tentar abri-la a força.

Sophie arrancou algumas folhas que a impediam de chegar à fechadura. A maçaneta enferrujada brilhou sob a luz do dia, mas logo a menina descobriu que realmente estava trancada. Ela tentou duas, três vezes, antes de empurrar seu ombro contra a madeira da porta. O barulho a fez se encolher de medo. Parando por alguns segundos, olhou para os lados, verificando se alguém vinha em sua direção. Era capaz de sentir a presença de mais uma pessoa, bem próxima.

Depois de aguardar alguns minutos, voltou a empurrar a portinha com toda a força de seu ombro. A força era tanta que, de repente, o sentiu arder como fogo, percebendo logo depois um filete de sangue manchar sua roupa.

Apesar de parecer muito frágil e antiga, a porta não respondia aos seus esforços. Ainda que chutasse ou a esmurrasse, ela não abria. Se o livro continuasse ali, Irineu talvez não acreditasse na história. Não confiaria mais nada a ela. Como explicaria a não produção da resenha?

Tentou mais uma vez e outra. Nada aconteceu, apenas mais alguns arranhões no seu ombro.

— O que está fazendo aí?

Sophie gelou e olhou para trás rapidamente. Alberto encarava a cena com espanto. Cravou sua pá de ferro na terra, fazendo a menina dar um pulo de susto e aproveitou para tirar suas luvas sujas de terra.

— A Sra. Anne não havia lhe dito que o Jardim permanece trancado? — repreendeu Alberto com sua voz arrastada e nada gentil.

Sophie se encontrava entre a coragem a vergonha, e não foi capaz de dizer coisa alguma. Buscou alguma palavra que pudesse ser dita naquele momento, mas nada encontrou, só moveu a cabeça em resposta negativa, fingindo desconhecer as ordens da Sra. Anne. Possivelmente, Alberto acreditaria, caso dissesse que não havia recebido nenhum aviso.

— Se você está tentando entrar aí, pode esquecer agora. Não vai conseguir. Na verdade, está trancada há anos e não será você que vai abrir. — E cuspiu na grama, encarando Sophie.

Seu rosto carrancudo o fez parecer mais estranho do que na primeira vez em que o viu. Não era alguém com o qual se passaria uma tarde tomando um café e comendo biscoitos, ou mesmo numa roda de conversa. Sempre aparecia sujo de terra, com a barba pontuda, que parecia abrigar mais uma centena de outras sujeiras, como minúsculos pedaços de graveto, restos de comida e capim. Talvez, toda aquela feiura fosse por conta do seu humor, sempre horrível. Nunca estava feliz, sorrindo ou sem a testa enrugada com as sobrancelhas quase juntas. Os lábios crispados, a respiração sempre ofegante e o corpo arqueado, davam-lhe uma aparência muito mais velha.

Sophie voltou correndo para a mansão, em silêncio, acompanhada pelo olhar de Alberto. Ao entrar e sentir a rápida mudança de temperatura se deteve por uns instantes, parada no hall, para observar a estranha movimentação das armaduras medievais no corredor que dava para a cozinha. Eram peças formidáveis, que antes pareciam inofensivas. Mas, naquele exato momento, tomavam uma posição de ataque. Não sabia ao certo contra quem iriam lutar, por conta do capacete que não denunciava a direção do seu oponente, mas sabia que o inimigo estava próximo.

Então, subiu para seu quarto, o único lugar para pensar em por onde começar a procurar a chave para o Jardim ou em como o abrir, caso não a encontrasse.

Apoiando a cabeça no travesseiro, sentindo o frio gelado entrar pela janela, lembrou-se da rápida conversa entre Irineu e a Sra. Anne na cozinha, algo sobre o próprio Jardim. Doroti havia lhe dito acerca de uma fortuna enterrada lá dentro. Por isso, talvez fosse o caso de manter distância do local.

Irineu era um homem de negócios, assim parecia, e com certeza sabia o quanto precisava proteger aquele lugar. Por ser pai da Sra. Anne, deveria ser o mais responsável. Talvez, fosse a ele que ela entregou a chave, a segurança do seu Jardim.

Era bem provável que Irineu, depois do trabalho, passasse a noite na sua biblioteca ou fosse conversar com a Sra. Anne em seu quarto. Segui-lo não seria má ideia.

E se durante a conversa ela ou Irineu revelassem o lugar onde estaria a chave?

Havia um relógio curiosamente lento na parede, avisando os segundos para Sophie, enquanto ela se preparava para observar lá de cima a chegada de Irineu.

De quando em quando, seus olhos fechavam e perdia a consciência do mundo para se entregar ao delicioso descanso, mas logo acordava num espanto, inundada ainda naquele quase silêncio, não fossem os *tic-tacs* na parede.

A hora, na verdade se arrastava.

Sophie acompanhou a exuberante troca de cores no céu. Do azul tímido da tarde, encoberto por nuvens carregadas de um cinza sem graça, para um céu levemente rosado e em seguida, sua troca para um azul escuro que, como um manto, apagava a luz do sol de pouco em pouco até não restar mais nada, somente a lua pendurada lá no céu. Por sorte, ainda restava a sua luz, que se derramava sobre a grama e o lago, trazendo claridade à chegada de Irineu.

O homenzinho, com sua mala em uma das mãos, atravessou o quintal e sumiu, entrando na mansão.

Sophie deixou o quarto na ponta dos pés, atenta a qualquer movimentação estranha que pudesse estar lhe acompanhando. Chegou próximo da escada e aguardou, até que Irineu aparecesse ao alcance de sua vista. O homem se aproximava lentamente, de cabeça baixa, sério, parecendo cansado.

Tentando não ser vista, Sophie buscou um esconderijo. Não pensou duas vezes e entrou num apertado armário de vassouras, onde a empregada Nise guardava seu material de trabalho. Além dos baldes e vassouras de piaçava, havia brinquedos, livros e mesmo roupas. No compartimento acima de sua cabeça, avistou caixas de papelão, organizadas com etiquetas e números.

Apertando-se um pouco mais para se afastar da porta, Sophie chutou algo que bateu na parede, fazendo um barulho que gelou sua alma. Parecia ter quebrado alguma coisa, mas a escuridão a impedia de identificar o que era. Então, lentamente e com muito cuidado, agachou-se e agarrou o que parecia ser um porta-retratos. Comprimiu os olhos para enxergar melhor a foto que estava nele e não satisfeita, encostou o objeto na ponta do próprio nariz, enxergando agora a figura de um homem magro e alto, com uma barba grosa e cabelo liso. Parecia bastante com Thomas.

Tomando cuidado para não fazer barulho, retirou a foto do porta-retratos quebrado e leu o que estava registrado atrás dela. Tinha uma data: 1927. Logo abaixo, um nome: Anísio.

Aquele nome não lhe era estranho, já o tinha ouvido. Naquele momento, não conseguiu lembrar onde, porém, guardou o objeto no bolso, o mais depressa possível e prestou atenção aos sons lá fora. Irineu havia acabado de passar pelo armário.

Contando até trinta, Sophie abriu a porta bem devagar e ouviu a voz da Sra. Anne antes mesmo de conseguir vê-la. Convidava seu pai para entrar em seu quarto. Aquela mulher, tão misteriosa e encantadora ao mesmo tempo, tão perto e tão distante de tudo... Ela era diferente de todas as outras mulheres que Sophie já havia conhecido.

Irineu entrou no quarto, deixando a mala perto da porta, sem que a fechasse. Rápida, Sophie atravessou a sala e se escondeu ao lado do quarto, de costas para a parede, com os ouvidos atentos ao que era dito lá dentro.

— Mas, era sobre isso que eu gostaria de falar. A situação está insuportável — falava a Sra. Anne, mostrando certo nervosismo na voz. — Manter uma casa dessas em pé, com os recursos que temos, não está sendo fácil, papai. E temos Sophie agora. Sinceramente, não sei bem como será o seu futuro conosco. Vamos abrir! — Sophie prendeu a respiração.

— Anne, pode ser um grande erro fazer isso agora. Vamos esperar...

— Não temos muito tempo, papai. Apenas quem recebe nessa casa são os empregados que, ainda assim, sempre pedem mais. O senhor sabe o quanto batalhei para conseguir todas aquelas coisas, a fim de que Sophie chegasse aqui de maneira confortável. Não quero devolvê-la... — Anne diminuiu bastante a voz antes de falar a última frase.

Sophie parecia anestesiada, numa interminável sucessão de pensamentos derrotistas, após ouvir aquelas palavras. Voltar para o Orfanato tinha seus prós e contras, porém, preferia se apegar aos contras. Sempre sonhou com uma família.

— Nada vai bem lá na empresa também. Acho que não lhe contei, mas oito empregados pediram demissão e para completar toda essa situação péssima, uma parte das telhas da minha sala despencou, quase acertando a cabeça de Madeleine. Mas, ainda assim, Anne...

— Papai, chegou a hora.

— Anne, pense bem. Se fizermos isso, vamos nos arriscar.

— Mas já estamos nos arriscando, papai. Já estamos...

Anne não conseguia pensar em mais nada. Sentou-se na cama com as mãos no rosto, esperando que outra ideia lhe ocorresse de súbito.

— Quando for a hora certa, abrirei, na calada da noite, quando todos estiverem dormindo. Não farei alarde — disse

Anne, decidida. — Não contarei a ninguém. Agora, preciso descer e tomar alguma coisa antes de dormir. Hoje o dia foi longo e cansativo.

— Mas, Anne...

— Papai, já está decidido.

Sophie escutou os passos da mulher estalarem no assoalho de madeira e não soube o que fazer para não ser vista. O único lugar para se esconder era o armário de vassouras, mas, com certeza, não daria tempo de chegar até ele.

Foi quando a Sra. Anne pediu ao seu pai que a esperasse fechar a janela para, enfim, saírem, que Sophie aproveitou os segundos restantes para se enfiar de volta no armário.

— É sempre melhor fechar as janelas durante a noite, por causa dos mosquitos. Não sei bem como Deus teve a ideia de fazer esses insetos tão repugnantes. — E deixaram o quarto.

Sophie escutou o baque da porta e torceu para que ela não a tivesse trancado. Era hora de sair e procurar a chave no quarto da Sra. Anne.

20

No quarto da Sra. Anne

Assim que não mais escutou o barulho dos passos de Anne e Irineu, Sophie, como que atirada como uma flecha, cruzou a sala dourada rumo ao quarto de sua nova mãe. Cortinas, carpete, móveis, lustre e até mesmo o abajur eram impecavelmente brancos, mergulhados num perfume doce, que lembrava a Sophie momentos alegres da sua vida. Tudo era iluminado e limpo, como nenhum outro lugar.

Numa das estantes havia quadros de diferentes tamanhos, exibindo a Sra. Anne e sua família em momentos de descontração, incluindo a figura repetida do homem que estava na mesma foto que encontrara no armário de vassouras.

Sophie notou a arrumação perfeita do quarto e decidiu ser cuidadosa em sua procura. Primeiro, abriu o enorme guarda-roupa. Depois, mexeu sem muita pressa nas gavetas. Surpresa, achou uma pequena caixa preta no fundo de uma delas e esticou ainda mais o braço para alcançá-la. Sem muito sucesso, abriu uma das gavetas de baixo e rapidamente ganhou um degrau, atingindo mais uns dois centímetros até a caixinha. Esticou mais o braço e, sentindo a madeira roçar a ponta dos seus dedos, finalmente a tampa pulou para o lado e Sophie conseguiu ver o que ela guardava. Nenhuma chave, apenas mais fotos. Não desanimou e continuou a busca nas outras seis gavetas restantes. Para cada estilo de roupa, uma gaveta diferente, para cada gaveta diferente um sopro renovador de esperança para Sophie.

Olhou para fora, mas não havia ninguém. Ainda tinha alguns minutos até que ela pudesse retornar. E se isso acontecesse sem que tivesse encontrado a chave, dificilmente encontraria tempo e ideia nova para a sua captura. Não iria desistir estando ali, ainda que o medo gritasse em sua cabeça, fazendo seu corpo inteiro estremecer.

Descartando as gavetas, correu para um espaço onde havia livros pessoais da Sra. Anne. Folheou um a um, apressada e ofegante. Antes de devolver para a estante, verificou se não tinham algum fundo falso, pois já encontrara muitos assim, inclusive no orfanato. Fechava a mão e batia três vezes na primeira e na última página do livro.

Descartando a ideia dos livros, olhou debaixo do tapete, o que fez com que levasse um susto. Encontrou uma argola prateada, que brilhava intensamente. Rápida, tocou para ver o que era e quando puxou, uma parte da madeira do assoalho se desprendeu, revelando um fundo e escuro buraco.

Visto dali, não era possível identificar o seu tamanho e mesmo que conseguisse entrar, seu tempo era curto demais para verificar cada uma das caixas que podia enxergar de onde estava. Aquilo era um alçapão e geralmente eles eram usados para guardar velharias ou tudo aquilo que já não era interessante às vistas. Entretanto, com o coração na mão, ciente de estar perdendo uma bela oportunidade de encontrar a chave, Sophie fechou rapidamente a portinha e devolveu o tapete ao seu devido lugar.

Onde mais? O tempo corria veloz e, de repente, Sophie se lembrou da possibilidade de encontrar um fundo falso em alguma das gavetas do armário. Se a chave pertencia a um lugar que não deveria ser revelado, com certeza não estaria num local de acesso tão óbvio.

Para melhor analisar, retirou algumas peças de roupa da gaveta e, como nos livros, bateu com atenção ao barulho, verificando se em algum momento seria oco ou não.

Pa! Pa! Pa! Batia rápido. *Pa! Pa! Pa!* Repetia.

Sophie já estava cansada, quando escutou um *dum, dum, dum* vindo da madeira e viu que se tratava, finalmente, de um fundo falso. Foi como tomar um banho depois de um dia muito ensolarado ou comer um bolo de chocolate com muita vontade. Ela só conseguia rir sem parar, enquanto, com cuidado, retirava de dentro do compartimento uma chave pequenina e um pouco enferrujada. Poderia ser, poderia não ser, mas era uma chave escondida. Levaria assim mesmo.

Enfiou a chave no bolso e colocou as roupas da Sra. Anne de volta nas gavetas, mas antes de sair olhou bem para não se esquecer de nada, ou para consertar o que possivelmente estivesse torto. Tudo estava no lugar. Então, voltou vitoriosa para o armário de vassouras e ficou aguardando a mulher retornar para seu quarto.

Sophie ficou mergulhada no silêncio por muitos minutos, até sentir sono e cochilar. Só acordou quando, finalmente, ouviu as vozes de Irineu e Anne escorrerem por debaixo da porta do armário. Aguardou que tudo estivesse quieto mais uma vez e, por fim, saiu da escuridão, descendo a escada sem olhar para trás.

Averiguou rapidamente o hall lá embaixo e seguiu sem preocupação de que pudesse ser vista. Quando já estava do lado de fora, fechou a grande porta atrás de si e correu no mesmo ritmo das batidas do seu coração, ritmadas e aceleradas, até o misterioso jardim da Sra. Anne.

Assim que chegou perto do muro coberto de hera, perfurou o túnel de rosas, respirando fundo e encaixou a chave na portinha.

Tem que ser ela! Tem que ser..., torcia Sophie.

Craft! Croft! Fez a fechadura.

Sophie já não sentia mais nada da cintura para baixo. Seu coração permanecia tão acelerado que já não era possível identificar muito bem suas batidas, porque parecia uma só. E num empurrão para frente, viu romper algumas heras ainda grudadas na madeira da portinha.

Tinha conseguido. O jardim estava aberto.

21

Dentro do jardim

A sensação inebriante do medo e da maravilha se misturaram em perfeita sintonia, porém, o jardim permanecia como que parado no tempo, ou melhor, morto, sem vida. Mesmo assim, com a entrada de Sophie, tudo parecia novo e incrível. Não iria demorar, pensou, e quando se viu perdida com as maravilhas assombrosas do lugar, esqueceu qualquer coisa que existisse do lado de fora, qualquer coisa que fosse diferente àquela sensação que percorria seu corpo por inteiro naquele instante.

Apesar das muitas folhas secas derramadas pelo o que parecia ter sido um dia um vasto tapete verde de grama, das heras cobrindo os espaços sem flores, de algumas árvores secas e plantas murchas, o Jardim da Sra. Anne ainda contava com uma beleza peculiar e sem igual, pois cada espaço daquele lugar apresentava uma surpresa sob a luz da lua.

Enquanto de um lado se via uma variedade de flores diferentes, cuidadosamente ornadas no que um dia foi um canteiro, do outro tinha um chafariz de pedra sem água, triste, morto. A estátua era de uma bailarina com traços delicados e ricos, e de seu rosto exalava uma leveza, uma serenidade em seu olhar e uma alegria em seu sorriso. A água, outrora, parecia sair de suas mãos, estendidas para o alto em direção às estrelas, enquanto sua saia rodava eternamente, como que dançando também, congelada no tempo.

Mais adiante, caminhando com cuidado, viu uma ponte pequena ligando um canto ao outro, numa delicadeza sem igual, como nos filmes românticos. Uma ponte que, certamente, era o lugar ideal para observar as águas tranquilas do que antes era um lago, enquanto o sol se misturava com seu bailado. Ainda restava um pouco de água, mas estava bastante suja de folhas e não era possível que tivesse peixes nadando.

Havia vaga-lumes voando por toda parte e bem do outro lado parecia acontecer uma importante reunião deles. Sophie se lembrou das árvores iluminadas no Natal, pois rodeavam uma das poucas árvores de copa gorda e saudável do jardim.

Ao redor daquele mesmo lago cruzado pela ponte, restavam resquícios de flores que, agora, eram apenas espécies diferentes de flores do mato. Mesmo assim, resistiam na busca pela mais delicada beleza do lugar.

Ainda que tudo fosse belo, diferente e novo para Sophie, ela se surpreendeu com uma estátua do outro lado do jardim, em forma de centauro, um ser mitológico, metade homem metade cavalo, mestre na misteriosa sabedoria dos astros. Carregava numa das mãos um arco e nas costas uma bolsa cheia de flechas, enquanto seu olhar mirava elegantemente o céu. Tamanha era sua beleza que Sophie, sem pensar muito, curvou-se em respeito à criatura, sem conseguir tirar os olhos da sua direção.

Para sua surpresa e espanto, o centauro, num esforço tremendo, moveu-se em direção a Sophie e se curvou, retribuindo a reverência. No esforço de seus movimentos, a menina pode observar uma quantidade enorme de poeira levantada e pedaços do seu próprio corpo que se desprenderem, caindo sob seus pés. Se ele continuasse se curvando, era certo se quebrar ao meio, avaliou Sophie. Então, num gesto delicado, ela tocou seus ombros e a estátua parou, retornando à sua primeira posição.

Ao se afastar da beleza daquele ser mitológico, Sophie não parou de ser surpreendida. Caminhou mais um pouquinho e deu de cara com um monstruoso dragão de pedra, meio oculto entre às heras e folhas secas. Tinha asas muito parecidas com as de um morcego, abertas e grandes, as garras afiadas feito agulhas e um olhar feroz, daqueles que invadem o sono da gente e continua assustando mesmo quando acordamos suados e tremendo. Sophie notou que seus pés não tocavam o chão, pois ele parecia pisar em alguma coisa também feita de pedra... um pedestal. O corpo da criatura era largo e gordo, assim como o que estava sob seus pés.

Estupefata com a figura assustadora, não ousou se aproximar. A impressão era que a qualquer minuto a estátua poderia cuspir fogo ou arranhá-la com as garras enormes.

Escutando o barulho de um galho se partindo ao meio, sobressaltou-se e olhou para trás, sentindo novamente a estranha sensação de olhos lhe observando, ou de alguém muito próximo, capaz de a qualquer instante lhe puxar pelo ombro, arrastando-a dali. Não viu nada diferente atrás de si, todavia, iluminado pela lua, encontrou o livro de Irineu aberto, com as folhas viradas para baixo, como que para salvá-lo de uma possível chuva. Como ansiava por aquele momento, correu em sua direção e o segurou firme, para que nunca mais o perdesse de vista.

Não satisfeita, conseguiu enxergar uma cortina de cipó que protegia a entrada de outra parte do jardim, muito mais ampla, onde havia outro chafariz de pedra e brinquedos de parquinho, todos muito danificados pelo tempo, e uma mesa de madeira tão grande que era capaz de acomodar mais de trinta pessoas. Desejou brincar ali, aproveitar aquele estranho momento para se permitir viver algo que, provavelmente, jamais teria a oportunidade. Tardes de piquenique ali seriam lindas, pensou. Aproveitar o lago para banho seria magnífico, e os brinquedos, todos tão divertidos. Desfrutar desses possíveis momentos devia ser muito especial para Anne, Thomas, Anísio e Irineu. Talvez, a tristeza de Thomas pudesse ter uma forte razão, por conta de tudo o que perdera durante sua infância, com a morte de seu pai. Ter tudo e de repente não ter nada deve ter sido uma situação difícil para ele.

Sophie começava a sentir tristeza por Thomas e tudo o que ele vinha passando. Sua chegada o deixara ainda mais solitário. Não queria ser inimiga dele, pelo contrário, ser amiga de Thomas era o que precisa ser feito, a fim de que ele pudesse se sentir melhor. Talvez, um dia, pudessem até mesmo propor a abertura do jardim para brincarem.

Abraçou o livro que havia recolhido com cuidado e iniciou o caminho de volta, mas parou subitamente próximo à saída.

Parado à sua frente estava Alberto, olhando para os lados, aparentemente estupefato com o que estava acontecendo ali. A menina não conseguiu se esconder e congelada pelo susto, lembrou que a chave não estava no seu bolso.

— O que você... Como conseguiu entrar aqui? — perguntou ele, tomando uma posição como se fosse agarrá-la. — Este lugar é proibido!

Sophie não conseguiria escapar.

— Eu achei a chave, mas... Eu precisava buscar...

Quem a visse, certamente teria acreditado em fantasmas, porque com certeza ela parecia ter visto um. Alberto se transformara em Romilda imediatamente e o cenário não era mais o mesmo. Estava de volta ao internato, o lugar de onde sempre sonhou sair. Imediatamente, sua garganta ficou seca. O coração não parava de dar cambalhotas e sua pele se tornava pegajosa de tanto suar. A sensação era torturante.

— Você conseguiu achar a chave! — disse Alberto, olhando ainda mais fundo nos olhos da garota. Estava ofegante. — Onde ela está?

— Na porta — respondeu Sophie, chorosa.

O homem caminhou duramente até a portinha do jardim e puxou a chave da fechadura com brutalidade. Parecia mais do que satisfeito por ter aquela peça tão preciosa nas mãos.

Sophie não sabia o que fazer. Não podia deixar a chave nas mãos daquele homem estranho, mas não tinha nada que pudesse ser feito. Como enfrentar uma pessoa dez vezes mais forte?

— Isso fica comigo — disse o homem ao se aproximar, colocando a chave do jardim no bolso da calça surrada. — Agora, vá dormir! Meninas da sua idade não ficam acordadas até esse horário. Com certeza fugiu da cama.

Sophie não fez nada. Ficou calada, esperando uma nova chance de pegar a chave, mas infelizmente isso seria impossível naquele momento. Achou que tudo sairia do jeito que tinha imaginado, que seria fácil, sem consequências terríveis. Mas não foi. Ela tinha cometido o maior erro da sua vida.

22

Uma triste notícia

O outono daquele ano se arrastou como nenhum outro. Ventos fortes sopraram a estação inteira e folhas secas pintaram o quadro bonito da janela de Sophie, trazendo aromas do campo que jamais havia sentido.

Tinha dias que ela não se dedicava a praticamente nada fora do quarto, até o término de "Montanhas do Leste". Doroti perdeu as contas de quantas vezes teve de ir chamá-la lá em cima para descer e comer alguma coisa, antes que morresse de fome ou sede. A dedicação era tanta que ao término de cada capítulo revisava numa folha de papel o que achava mais importante. Levaria o trabalho perfeito para que Irineu não colocasse nenhum defeito. Porém, num dia atípico de sol, desceu tomada de preocupação para ver Alberto e saber dele onde havia parado a chave do jardim. Aquilo não o pertencia, nem mesmo pertencia a Sophie, mas ela precisava colocar no lugar de onde havia retirado. E se ele tivesse entregado para a Sra. Anne e lhe dedurado? Não conseguia imaginar aquela mulher extremamente elegante puxando suas orelhas, mas não deixou de se preocupar por isso. Aliás, era proibido chegar até o jardim e ela sabia disso.

— Onde está a chave? — perguntou para o homem, sem dizer oi ou mesmo bom dia, enquanto ele mexia na terra muito concentrado. Repetiu a mesma pergunta três vezes, até ele responder num tom áspero.

— A Sra. Anne ainda está muito abalada com a morte do Sr. Anísio. Assim que eu achar o momento certo, entrego de volta. Não estrague as coisas, garota. Volte para seu quarto e deixe que eu resolva. E se ainda não lembra, não chegue perto do jardim.

Aquilo não podia estar acontecendo. E se ele não devolver a tempo de Anne e Irineu desejarem abrir o jardim? Ela mesma poderia estar comprando um passaporte de volta para o orfanato. Não poderia esperar mais do que aqueles dias. Deveria, o mais rápido possível, planejar a captura da chave, agora das mãos de Alberto. Ele não era um homem muito amigável e seria muito mais difícil encontrar alguma pista do esconderijo. Onde ele dormia? Não sabia. Onde ele costumava fazer as refeições? Também não fazia ideia.

Sophie prometera voltar, então andou até o estábulo para ver Fred e saber como estava Flor do Dia.

— Pensei que não voltaria mais! — exclamou feliz o menino, abraçando Sophie e dando um beijo quente em sua bochecha.

— É bom revê-lo — disse a garota em resposta. — Como anda Flor do Dia? Ela melhorou?

Fred, então, sentou num dos banquinhos e aproveitando o passeio do seu leitãozinho, o agarrou e colocou no colo, fazendo carinho em sua barriga, enquanto o animal parecia se divertir com aquela situação inesperada.

— Eu tive alguns probleminhas com Sebo nas Canelas também. — Sophie notou uma tristeza no olhar do rapaz. — Thomas não gostou nada, nada do que eu fiz, deixando você passear com ele. Eu disse que a culpa era toda minha. Você só estava conhecendo...

Sophie ficou calada. O menino, nada arrogante, de repente abaixou a cabeça e deixou o animalzinho escapar por entre os braços. Por um momento, ficou pensativo e em silêncio, parecendo se esquecer da presença de Sophie. Ela, por sua vez, esperou, mergulhada naquele momento estranhamente embaraçoso, sem saber muito bem o que poderia dizer. De supetão, sentiu vontade de contar para ele sua aventura dentro do jardim, mas achou melhor não. Não o conhecia bem e ainda que o conhecesse, sabia que tinha feito algo muito errado e que agora deveria buscar uma solução o mais rápido e discretamente possível.

— É... Fred — Tentou recomeçar. — Então, como está Flor do Dia? Ela está melhor?

O menino voltou sua atenção para o leitãozinho que brincava sozinho, enfiando-se por debaixo de um amontoado de palha. Antes que pudesse sorrir, enquanto o animal corria e se escondia, Sophie viu uma lágrima escorrer pelas bochechas dele. Rápido, tentando esconder sua vergonha diante dela, Fred se apressou a dizer, numa voz embargada:

— Essa é a pior parte...

— Por quê? — perguntou Sophie, assustada.

— Thomas pediu para sacrificar Flor do Dia.

Frederico tentou ser forte, mas se deixou vencer pelas lágrimas que desciam copiosamente por seus olhos. Chorou feito uma criança, como Sophie chorava também.

23

A entrega

Na tarde do dia seguinte, a notícia do sacrifício de Flor do Dia chegou até a Sra. Anne, chocando-a, e sem saber bem o que poderia ter acontecido, interpelou Thomas antes que pudesse sumir na escuridão misteriosa dos seus esconderijos na biblioteca.

Explicou ele, temeroso dos castigos de sua mãe, que a pata do animal estava machucada e se encontrava numa situação incurável, deixando a égua triste, sem vontade de viver. E que diante dessa situação, o melhor que pôde fazer foi sacrificar o animal. Anne ficou arrasada e desceu para conversar com Fred, que narrou a mesma história. O que não podia contar era que o animal ainda poderia ser curado e o pedido veio de prontidão, logo após Thomas saber do passeio de Sophie com um dos seus cavalos. A verdade era que o ciúme do menino havia matado Flor do Dia e não seu ferimento, aparentemente, incurável.

Sophie não conseguia acreditar que poderia ter causado aquilo e passou o dia inteiro se sentindo culpada. Tentou argumentar consigo mesma, lembrando-se do descaso de Thomas para com seus animais e, portanto, não havia com o que ficar triste, já que a tarefa de cuidar, dar carinho e atenção era dele.

Frederico foi quem mais sofreu. Passou dias de cabeça baixa, na maior parte do tempo com os olhos vermelhos de tanto chorar. A pior parte do luto é saber que nada pode ser feito para mudar o passado. Sabia que Thomas o castigaria por ter deixado a menina montar em Sebo nas Canelas. E no pior dos resultados, ele conseguiu.

Naquela mansão, de muitos cômodos, janelas e portas, tudo parecia estranhamente triste e silencioso. Sophie notara que naqueles dias, ninguém parecia muito à vontade para conversar. Apesar de nunca ter tido uma família, seus dias no orfanato não eram de todos ruins e mesmo agora, com mãe, irmão e avô, quando esperava ser mais feliz, estava triste. A Sra. Anne sofria com a morte do seu marido, Thomas pela morte do pai, Irineu pela morte de seu genro. Por não ter vivido com seus familiares, Sophie achava mais fácil recomeçar e ser feliz de novo. Para ela a morte não era um ponto final, mas uma oportunidade de recomeço. E, talvez, aquela família precisasse urgentemente recomeçar. Não esquecer o passado, mas saber conviver com ele no presente, com esperança e alegria.

Recomeços são sempre difíceis, bem sabia Sophie, que rolava na cama, na noite sombria do seu quarto, onde, no silêncio, seus pensamentos seguiam um rumo no qual sua derrocada era sempre o mesmo ponto: a morte de Flor do Dia. Com certeza, poderia ter evitado o barulho ensurdecedor que era aquele silêncio, que se fazia no café da manhã, nos encontros inesperados com Thomas pelos corredores, nos olhares descuidados de Doroti enquanto cozinhava e ela lia na mesinha, nos encontros mais significativos da família. Sua leitura, ora era passeio simples pelas letras, ora era saudade e preocupação, sentindo o peso daquele silêncio que fazia pressionar seu coração a ponto de doer e perder o rumo da história impossível de ser saboreada.

Depois de muito pensar, Sophie tentou a todo custo se pôr no lugar de Thomas, sentir o que ele sentia, sob o ponto de vista verdadeiro dos seus sentimentos. O menino seguia seus dias nublados, como se nada daquilo fosse mais colorido, por causa da morte de seu pai. Ele não sabia muito bem como, não entendia porque tinha que ser daquela maneira, de repente, sem adeus, sem vê-lo ao menos pela última vez. Como aquilo podia ser real? Uma vez vivo, feliz... E de um dia para o outro morto, ponto final? O mais brutal de seus sentimentos era ter alguém que pudesse substituir a presença do seu pai, alguém que pudesse ser o motivo para esquecer toda a dor, todas as lembranças, de um dia para o outro. Thomas queria sofrer, chorar e tinha todo o direito.

Sophie não entendia muito bem sobre perdas, mas passou por isso também, quando se despediu de suas melhores amigas, a família que criara no orfanato. Não sentiu a morte dos seus pais, pois era nova demais para lembrar. A diferença entre ela e Thomas era que ter uma família feliz superava toda a expectativa de estar onde estava, pois, o objetivo era muito claro, todos os dias: ter uma família.

Ser adotada foi seu grande desejo e sua maior realização. Ao alcançar esse sentimento, tal como o menino pudesse estar sentindo, seu coração pulou forte e uma vontade irresistível de chorar engasgou sua garganta, marejando seus olhos, arrepiando o corpo inteiro, inclusive o topo da cabeça.

Coberta por aquela sensação de dor, não se deixou levar, mas decidiu que a partir daquele dia seu objetivo seria outro, transformar a infelicidade em verdadeira felicidade naquela casa... Claro! Depois de conseguir capturar novamente a chave do misterioso jardim da Sra. Anne.

Não seria nada apresado, corrido demais, a ponto de mostrar uma vontade forçada e enganadora. Pelo contrário. Seria tarefa arrastada, que ajudasse ao invés de atrapalhar. E seu alvo principal, naquele momento, passou a ser Irineu, assim que a oportunidade de devolver o livro se tornou realidade novamente, numa tarde fria de maio.

O fogo baixo da pequena lareira crepitava em frente ao homem já marcado pela idade, de cenho enrugado, concentrado na sua leitura. O rosto iluminado pelo vermelho do fogo mostrava certa satisfação e surpresa a cada página virada. Trazia na boca um leve sorriso de quem está adorando a leitura.

Sophie deixou escapar dos seus pés o barulho dos seus sapatinhos no assoalho de madeira, fazendo com que Irineu automaticamente desviasse seus olhos das páginas para ver quem entrava. Ele sorriu delicadamente, quando Sophie fez o mesmo e, em silêncio, retornou ao bailar das letras no papel. Ela, por sua vez, esforçou-se ao máximo para andar o mais discretamente possível até a estante, onde pegara o livro mais difícil de ler da sua vida. Encaixou ele por entre outros dois bem grandes e expirou aliviada, carregando ainda certo medo do que poderia vir em seguida.

Então, passou seus dedos por outros títulos e avistou um que enchera seus olhos de curiosidade. Ao tocá-lo, sentiu frio, bem diferente dos outros. Assim que puxou, ansiosa para conhecer o título, o livro não saíra do lugar por completo. Em vez disso, fez rugir um montante de engrenagens escandalosas, abrindo, para sua surpresa, uma das passagens secretas onde Thomas adorava se esconder.

Irineu, num sobressalto, fechou o livro e apertou os óculos que usava contra o meio de suas sobrancelhas, virando-se num segundo para ver o que acontecera.

— Você abriu? — indagou, espantado.

Sophie olhou para o livro, para Irineu e para a passagem aberta, sem conseguir formar palavra alguma. Depois de muito esforço, incomodada pelo silêncio que se formou após a pergunta, movimentou as mãos em busca da palavra e soltou seu mais sincero pedido de desculpas.

O homem abriu um largo e alto sorriso.

— Nem mesmo eu me lembrava dessa passagem! Você é muito inteligente — disse ele, tirando seu cachimbo de dentro do bolso. — Pois, na verdade, eu me confundo com aquela outra estante.

Irineu se aproximou e estudou a alavanca em formato de livro, acendendo seu cachimbo e soltando uma fumaça espessa e bonita, porém fedorenta. Levantado o livro, os ruídos metálicos voltaram a preencher a biblioteca e a porta retornou ao seu lugar, fechando a passagem.

Tomada de surpresa, Sophie olhou para a porta aberta da biblioteca, receosa da presença repentina de Thomas.

— Creio que precisa de ajuda para terminar a resenha que lhe pedi, semanas atrás, não é mesmo? — Sophie ficou com as bochechas coradas de vergonha.

Do cinto verde do vestido, puxou um pedaço de papel bem dobrado, onde a resenha sobre o livro estava descansando. Verdade fosse dita, Sophie quase entregou sua ida ao jardim, mas não o fez. Não trairia a confiança de Irineu. Porém, ao mesmo tempo, sentia que a chave do jardim não deveria ficar com Alberto. Não mesmo! A única coisa que fez foi entregar o trabalho finalizado ao homem que o recebeu com satisfação.

— Muito bem, Sophie! Considerando a demora da entrega, acredito que verei um trabalho impecável. — Irineu sorriu, bondoso. — Porém, não há tempo para ficar sem ler nenhum outro. Aqui existem títulos maravilhosos, os quais, com certeza, chamará bastante sua atenção. Hãm, vamos ver... Aqui! Este aqui. — Irineu se colocou na ponta dos pés e puxou um livro grande, de capa vermelho-sangue e letras douradas no título. — Esse aqui se chama *A Gruta do Mago Velho*. Servirá para o nosso conteúdo de filosofia.

Sophie segurou a obra que, pelo peso, acreditou ser muito tensa e empolgante. A julgar pelo título, talvez fosse trabalhar algo bem filosófico de fato, porém sua cabeça não estava tão empolgada para fazer reflexões a respeito do livro. Seu objetivo naqueles dias não deixara sua cabeça, ainda que a tristeza pela morte de Flor do Dia a assombrasse mais de uma vez por dia. Conseguir de volta a chave do jardim da Sra. Anne era mais importante no momento.

Passou rapidamente os olhos nas páginas, sem muita empolgação. Irineu sentiu seu desinteresse e estranhou, voltando a procurar algo por ali que a fizesse mais feliz. Mal sabia ele...

— O senhor trabalha muito — disse a menina num ato de coragem repentina.

Irineu parou de repente o que fazia. Olhou Sophie, surpreso com o comentário, enquanto disparava no ar a fumaça do seu cachimbo.

— É verdade. É verdade. — Sophie aguardava com a respiração ofegante. — Todos dizem a mesma coisa. — Ele sorriu.

— Eu costumava trabalhar bastante no Orfanato — comentou Sophie. — Nem sempre eu gostava, porque muitos trabalhos eram difíceis, mas costumava terminar todos. O senhor trabalha com máquinas, não é mesmo?

Irineu segurou o cachimbo nos dedos rechonchudos e respondeu sério:

— Trabalho fazendo muitas máquinas funcionarem. Das pequenas às grandes, das mais difíceis às mais fáceis de lidar. Quase sempre são grandes, pesadas e com muitas engrenagens como essas daqui, mas, muito mais elaboradas e eficientes. Gosta de máquinas também, Sophie?

— Tenho minhas curiosidades porque não sei muita coisa...

— Ah, não seja por isso! Amanhã, às seis da manhã, vou levá-la ao meu trabalho para ver o quão magnífico é o que se faz com as novas máquinas do mundo moderno. Gostaria?

Sophie não sabia o que pensar, mas estreitar laços com Irineu seria melhor para que ambos se confiassem. Ela precisava daquilo urgentemente.

— Sim, claro. Será magnífico! — soltou apreensiva.

Depois de muitos dias em casa, um passeio cairia muito bem... ou não.

24

O bilhete surpresa

De manhã, o sol apareceu tímido entre as nuvens que se formaram como cascatas nas montanhas, e bem cedo, antes que ele mudasse as cores da cortina do seu quarto, Sophie havia levantado, tomado seu banho e se arrumado para o passeio. Passou algumas horas sentada na cama, esperando que as primeiras badaladas do sininho tocassem, anunciando o preparo do café da manhã, dando sua deixa para descer. Seria um dia especial e muito diferente dos outros, visto que desde que chegara não havia ido a lugar algum fora das terras da mansão.

Enquanto aguardava, de subido foi surpreendida pela própria imaginação.

No peitoril da janela, por detrás da cortina fina e branca, avistou a silhueta magrela e pequena de pernas e braços, tais como os de um ser humano qualquer, não fosse por conta de um par de asas semelhante aos de uma libélula, só que maiores, donde jorrava a intervalos uma espécie de pó, no qual sob os raios de sol brilhavam ao escorrerem. Sophie escutou um risinho sapeca, qual o de uma criança que tenta se esconder, quando todos já sabem onde ela se encontra. Parecia querer brincar, mas Sophie vislumbrou outra ideia genial para aquele momento. E quando mais precisava de um caderno em branco, não achou nenhum que pudesse lhe ajudar.

Aproveitou o momento de imaginação, momento esse que Sophie achava de pura magia, e correu até a Sra. Nise — a empregada com cara de leão, mantenedora de tudo que era velho —, para buscar com ela um caderno qualquer. A velha lhe pediu um momento e depois de quatro ou cinco minutos voltou com o objeto nas mãos. Agradecida, Sophie retornou para o quarto, buscou um lápis dentro da gaveta e se sentou novamente na cama, pondo-se a escrever uma história. A fadinha, escondida ainda nas cortinas, ria e brincava sozinha.

As primeiras linhas saíram com rapidez. Depois de três a quatro parágrafos, releu e não gostou. Pôs-se a continuar escrevendo e, de repente, o que esperava começou a acontecer diante dos seus olhos. Talvez fosse o primeiro livro escrito por ela e queria terminá-lo o mais breve possível.

Logo de início pareceu ser uma tarefa bastante árdua, mas a vontade de fazer acontecer ultrapassava todas as dificuldades que por ventura pudessem lhe desanimar. Sabia que não estava escrevendo tão bem quanto àqueles escritores que estava acostumada a ler, mas pretendia buscar algo parecido. Nada é impossível quando a gente deseja muito. De pouco em pouco, sabendo planejar, o sonho começa a ganhar contornos reais, até que se torna concreto e maravilhoso.

Só naquela manhã Sophie escreveu três páginas, apresentando a história de uma fadinha, e ainda arriscou um título para toda aquela aventura: A Jornada em Elesmer, a história da Fada Olívia. Tinha saudades de sua amiga do orfanato, por isso a homenageou. Seria mais um meio de mantê-la em suas lembranças para sempre.

Antes que pudesse começar outro capítulo, pois sua cabeça fervilhava de imaginação, um papelzinho deslizou por debaixo da porta, gelando seu coração. Sophie se levantou de sobressalto, não conseguindo respirar direito, fitando o papelzinho no chão como se fosse algo precioso. Não queria acreditar que se tratava de mais um bilhete daqueles feitos por Thomas. Sua cabeça começava a doer, pensando no pior. Então, buscou o papel e leu apresada.

Sophie, estou envergonhado por ter feito tudo aquilo com você. Espero que consiga me desculpar. Meu quarto está aberto. Quando quiser, pode vir. Não conte a ninguém sobre esse bilhete. Thomas

A menina leu de novo, mas não conseguiu confiar no que estava escrito. Seria mais um plano de Thomas para prejudicá-la? Não queria estar mais uma vez envolvida em problemas por causa dele. Não mesmo! Porém, e se fosse verdade? Seu plano para fazer tudo ficar melhor, para que tudo se tornasse mais feliz para aquela família, começaria a se tornar real.

Talvez pudesse aproveitar a oportunidade para devolver ao menino a foto que encontrara de seu pai. Ele não era uma pessoa ruim, apenas sofria a despedida de alguém querido.

Sophie dobrou o bilhete e buscou a foto de Anísio, colocando os dois juntos sobre o criado-mudo. Aguardaria o momento certo para que a devolução pudesse acontecer, porque, de repente, outra coisa a sobressaltou: o sininho anunciando o café da manhã.

25

Amigos?

Irineu aguardava Sophie na porta da cozinha, enquanto fumava seu cachimbo e conversava com alguém. Parecia mais empolgado que nunca. Ele acompanhou a menina se aproximar, deslumbrado com seu vestidinho de babadinhos, com os cabelos bem penteados e um sorriso angelical no rosto, andando tranquilamente.

A menina não escutou a segunda voz que vinha de dentro da cozinha, mas com certeza era da mulher mais linda que já vira na vida, sua mãe Anne.

Tomaram café na presença de Thomas, mas somente Anne, Irineu e Sophie conversavam e riam, ansiosos pelo passeio daquele dia. Doroti, por sua vez, parecia um tanto incomodada. Vez ou outra deixava alguma colher cair no chão ou a tampa de algumas panelas se chocarem, estremecendo de susto os corpos ali presentes. No seu semblante, o incomodo por toda a situação estava impresso sem vergonha.

Ao levar a bandeja até a mesa, onde todos, menos Thomas, estavam rindo e comendo, seus dedos escorregaram e seus pés tropeçaram, derrubando uma boa quantidade de leite.

Anne pulou para trás, acompanhada por todos. Mas antes que Doroti pudesse sujar a roupa de alguém, Irineu já havia partido com a nova neta. Atravessaram a floresta usando uma daquelas carruagens de Anne e chegando à cidade, caminharam até um prédio alto, enfeitado de mil janelas, parecendo ser muito antigo, porém limpo e charmoso.

Na portaria, um homem muito velho estava sentado, olhando os passantes que iam e vinham, encontravam-se ou se despediam. Parecia cansado, pelo modo que estava na cadeira, com as costas curvadas e os olhos semicerrados. Por um momento, Sophie se lembrou da irmã Luciana. Que saudade... A impressão que dava era a de que só não estava dormindo por conta do barulho das buzinas e do galopar dos cavalos, que levavam algumas carruagens de um lado para o outro. Vestia um terno elegante e uma boina amarela.

— Bom dia, Ernesto! — cumprimentou Irineu, depois de ter limpado seu cachimbo e o guardado no bolso da calça. — Temos novidades?

— As de sempre, senhor — respondeu o homem.

— Porém, hoje temos uma novidade sim. Sophie, minha neta, veio nos visitar e conhecer nosso trabalho.

De repente, Ernesto abriu mais os olhos, exibindo um sorriso.

Atravessaram uma porta de vidro, entrando numa sala onde tudo era muito branco e cheiroso. Irineu cumprimentou duas recepcionistas com muita educação, enquanto elas anotavam, atendiam ligações e sorriam feito máquinas, olhando para todos os lados. Sophie o acompanhou, subindo algumas escadas. Entraram num corredor longo, onde todas as portas eram brancas e numeradas.

— Este prédio é onde administro minha fábrica, Sophie.

Irineu entrou numa dessas salas, grande e com um lustre de cristal encantador sobre sua cabeça. Como de costume, muitos livros rodeavam o lugar. Na mesa, uma plaquinha avisava em letras grandes e douradas, que ali estava o presidente da empresa.

Sophie aprendeu muito num só dia. Pôde compreender o quão difícil é administrar uma empresa e ainda ter que se preocupar com a família. Eram muitos detalhes. Viu também algumas máquinas em construção, o desenho de muitas delas ainda em produção. Era um mundo ao qual Sophie não estava acostumada. Na verdade, preferia escrever seu livro.

Tudo ali era muito sério, objetivo, mas entendia que aquilo deixava Irineu feliz. Via no seu olhar o quão realizado estava, ao mostrar a ela com quantas engrenagens se fazia uma máquina funcionar.

Voltaram para casa às nove horas da noite. Irineu colocou o disco que mais gostava na vitrola e dançou alegremente com Sophie, em meio a risadas e brincadeiras.

Anne se aproximou para ver o que acontecia na sala de estar e riu da cena.

— Só não vale pisar no pé de ninguém! — E sem esperar, Irineu a puxou pela mão, convidando-a para dançar também.

A música tocou alta durante toda a noite, enquanto o jantar era servido. Sophie estava maravilhada pela repentina transformação daquele ambiente triste de outrora. Será que a mágica que fazia com o estalar da sua imaginação estava acontecendo de novo? Bem que naqueles dias sua cabeça fervilhava, como quando coisas estranhas aconteciam ao imaginá-las. Um formigamento nos dedos e no centro da testa, um arder nos olhos, uma tremedeira nas pernas. Achou que sua magia estava acontecendo.

Quando, finalmente, todos foram para seus quartos, Sophie buscou a foto de Anísio e bateu na porta do quarto de Thomas, bem baixinho. De longe, escutou a ordem para entrar. Sua espinha gelou. Não havia muita luz saindo por debaixo da porta e assim que a abriu, deparou-se com janelas fechadas e algumas velas acesas, o que não deu a mínima vontade de permanecer por muito tempo no ambiente. A mágica tinha que acontecer ali também. Precisava acontecer.

Thomas estava de costas, sentado numa escrivaninha, balançando suas pernas para frente e para trás, enquanto parecia escrever alguma coisa. Não disse nada, porém, virou-se repentinamente, olhando fundo nos olhos da garota paralisada de medo.

Medo não era muito bom para fazer magia, Sophie pensou. Não podia se permitir essa sensação, ou poderia dar errado.

— Eu li o bilhete que você mandou para mim... — Sophie disse pausadamente, apertando a foto de Anísio nas mãos. — E entendi o que você quis dizer.

— Eu... — o menino parou, mas num suspiro profundo, aparentemente relutante, continuou: — Eu não tenho motivo para querer o seu mal, Sophie. Estou muito triste com a morte de Flor do Dia.

— Mas quem pediu para sacrificá-la foi você... — Sophie deixou escapar. — Você pediu para matá-la. — Thomas se espantou, mas não reagiu. Em vez de responder, aguardou. — Talvez ela pudesse ser curada. Um pouco mais de paciência e amor poderiam ter salvado a vida dela.

— Eu não a matei — disse o menino calmamente. — O veterinário nos alertou de que ela sofreria e eu não queria que isso acontecesse. A perna dela estava quebrada. Ela sofreria durante toda a vida com aquela dor. Foi uma decisão triste, mas tinha de acontecer. Não foi fácil para mim... Eu perdi meu pai, Sophie. Não quero perder mais ninguém, nem mesmo meus animais. Não foi fácil para mim, não foi...

A cabeça de Sophie formigou estranhamente. Ela paralisou de repente e abaixou a cabeça, pensativa, enquanto um silêncio aterrador a encobria de arrependimento pelo modo como acabara de falar com o menino.

— Eu queria pedir desculpas, se fiz algum mal para você, Thomas. Não quero ser sua inimiga...

O menino estendeu a mão à espera da resposta de Sophie e, ainda em silêncio, sorriu timidamente.

Ela não soube o que fazer de imediato. Olhou da mão para os olhos de Thomas e se lembrando das regras de cordialidade, apertou a mão do menino, balançando-a.

— Amigos?

— Irmãos — respondeu Thomas.

26

A história de Sophie

— Senta e escuta!

Sophie acordou bem cedo, disposta a continuar a escrever sua história. Desta vez, além de escrever os outros capítulos, a menina teve a ideia de chamar Thomas para escutar a história no seu quarto. Forrou o chão com uma coberta, pegou a vitrola emprestada do avô e sentou confortavelmente em meio às almofadas — como fazia no Orfanato — e começou a leitura para o irmão.

"Era uma vez, numa floresta longe de tudo — dos homens, dos animais e dos duendes —, uma árvore de fruto raro, brilhante e muito doce. Em seu topo, moravam três fadas. Olívia era a mais valente dentre elas e, com sua esperteza e agilidade, conseguia resolver todos os problemas que pudessem ameaçar a paz de sua família."

A música suave da vitrola criava um ar de suspense e, ao mesmo tempo, acalmava. Thomas não queria mais sair da posição que estava e permanecia vidrado, curioso com o que poderia escutar em seguida.

"Certa vez, a floresta foi descoberta pelos Trolls da Meia-Noite, seres verruguentos e de cara amassada, trajando roupas surradas e fedorentas. Por onde passavam, deixavam seu cheiro de carne podre e carregavam nas mãos — com apenas três dedos grossos — um enorme pedaço de madeira, revestido de espinhos e veneno de cobra. Ao avistarem o encanto das frutas que enfeitavam a casa das fadas, os Trolls logo desejaram morder uma bem grandona, mas, além de sentirem aquele cheiro doce, notaram um perfume ainda mais delicioso, para a infelicidade das moradoras daquela árvore: cheiro de fada! Não satisfeitos com a altura onde elas estavam, logo começaram a chutar, socar, empurrar o tronco da grande árvore, a fim de mastigar, chupar os ossinhos e arrotar todas as fadinhas. E melhor: ainda comeriam a sobremesa. Porém, Olívia não deixaria suas irmãs passarem por estresse algum. Puxou sua espada, repetindo os gestos do Rei Sabinne, do Reino de Jatobá e buscou sua força e coragem para enfrentar os inimigos fedorentos."

— Era um reino só de fadas, então? — perguntou Thomas, curioso.

Sophie fez um "sim" com a cabeça e continuou.

"Marquência era a fada mais nova e mais medrosa. Conforme balançava junto com a árvore, seu medo paralisava suas asas e por muito pouco não foi agarrada por três dedos grossos..."

De repente, ela interrompeu a leitura.

— Thomas, tem um erro numa frase aqui... só um instante. — Sophie se levantou e foi até o criado mudo para buscar uma borracha e um lápis, quando se lembrou da foto de Anísio, que havia se esquecido de entregar a Thomas no dia anterior. Antes de dormir voltou a guardá-la ali em cima.

Sentou-se novamente, com o lápis, a borracha e a foto. Mais uma vez ficou um pouco preocupada com a reação de Thomas ao falar sobre a morte de seu pai. Antes que deixasse aquilo de lado, imitou o gesto corajoso da fada Olívia e entregou a foto de Anísio ao seu filho.

— Thomas, eu achei no armário debaixo da escada e queria muito devolvê-la a você. — Suas mãos tremiam.

Thomas segurou a foto firmemente nas mãos. Seus olhos fitaram a imagem registrada, trazendo algumas lágrimas imprevistas. Rapidamente, recordou momentos felizes com o pai e como num passe mágico do tempo, mergulhou nas lembranças. Reviveu alguns instantes com Anísio, as brincadeiras, os passeios...

— Ele era o melhor pai do mundo! Sempre tinha tempo para contar histórias, andar a cavalo comigo, pescar. Um dia, serei como ele.

Sophie foi incapaz de dizer qualquer coisa. Olhava aquela cena aliviada por ter trazido algo perdido a quem era de direito.

— Lá no Orfanato eu tinha muitas amigas. Muitas de nós não tinham família e Olívia era a minha melhor amiga. Ela também amava seu pai, que morrera. Ela só tinha a ele, mas acabou o perdendo...

— A gente nunca perde, mamãe diz. Pai e mãe são para sempre.

— Como é ter pai e mãe?

— É como estar protegido o tempo todo. Eu me sinto seguro.

— Eu nunca me senti tão segura.

— É porque você não tinha pai e mãe.

— Agora eu tenho uma família...

— Agora você ganhou uma mãe, um avô e um irmão.

— Tudo de uma vez.

— Tudo de uma vez — Thomas sorriu.

— Mas, na verdade, a irmã Luciana e minhas amigas no Orfanato se tornaram minha família também. Às vezes, quem não é do mesmo sangue é mais família do que muita família de verdade.

— Minha mãe diz que não existe família de mentira. Toda família é família de verdade. E tem família de muitos jeitos diferentes. Não é porque você não nasceu na mesma barriga que você não pode ser minha irmã, minha família.

— Eu me sinto muito feliz de poder ter tantas pessoas na minha família.

— Vou mostrar uma coisa pra você — disse Thomas, levantando-se num salto.

— No seu quarto? — indagou Sophie.

— Não! — respondeu, apressado. — Na biblioteca. Preciso mostrar.

27

A passagem secreta

Thomas segurou Sophie pelas mãos, quando percebeu que ela não sairia do lugar e a carregou a passos apressados até a biblioteca de seu avô.

O silêncio imperava no ambiente. Ninguém lia nem fumava. Thomas varreu as estantes com seus olhos verdes como faróis e achou o livro correto, o qual o ajudaria a abrir a passagem secreta. E, então, dando um pulinho, puxou lentamente o livro de aspecto metalizado. Como parecia pesado, Sophie o ajudou a arrastá-lo para baixo.

De repente, bem na frente dos dois, os livros da estante deram a impressão de estar ali por puro enfeite, todo aquele tempo e se desfizeram organizadamente, afastando-se uns dos outros, abrindo um espaço escuro entre ambas as partes da grande estante. Nenhum livro caiu ou se movimentou bruscamente, nem mesmo poeira esvoaçou pela sala.

Tomando a dianteira, o menino penetrou na escuridão da passagem, chamando por Sophie que tremia da cabeça aos pés. Unidos, andaram por um corredor fantasmagórico, onde um uivo de vento assoviava bem rente ao pé do ouvido deles, arrepiando os pelos de suas nucas. Não conseguiam ver absolutamente nada, nem à frente nem atrás ou pelos lados. Sentiam-se como cegos, tateando as paredes, pressentindo que a qualquer momento poderiam pisar em alguma coisa, dar com a canela em algo ou bater a cabeça.

De súbito, uma luz amarela iluminou seus rostos assustados, despertando uma alegria repentina em Sophie. Sentiu-se como uma mosca que acabara de sair das garras de uma terrível aranha esfomeada. A luz vinha de uma salinha toda de madeira, do teto ao chão, enfeitada de quadros onde Anísio era o personagem principal. Eram muitos momentos diferentes, fotos que pareciam contar uma história feliz, de um tempo que não voltaria mais. Aquilo tinha uma beleza única e como que se sentindo mais confortável, Thomas fechou a porta atrás de si e sorriu para a menina, orgulhoso do que parecia ter sido seu trabalho de anos.

— Eu sempre venho aqui — disse ele com sorriso na voz. — Sinto-me mais em casa aqui do que lá fora. — Thomas se sentou numa poltroninha que descansava pálida no canto da sala.

Sophie encarava as fotos antigas, outras que pareciam mais recentes, mas todas de cenas muito felizes. Havia fotos também de Anne. A menina observara que algumas foram tiradas no que parecia ser o jardim misterioso, no qual fora proibida de entrar.

Que lugar belo e encantador! Uma mulher linda e elegante. Um homem robusto e, aparentemente, bem-humorado.

Thomas colocou a foto que Sophie lhe dera dentro de um novo porta-retratos, que retirou de uma gaveta no criado-mudo. Rapidamente, buscou um lugar para que ela ficasse.

— Você não tem fotos? — questionou ele.

— Tenho poucas, e as guardo também com muito carinho e cuidado — respondeu Sophie, no momento exato em que viu a foto mais bonita da galeria. — Essa foto é muito linda!

Thomas, então, chegou mais perto e viu que era uma de suas favoritas. Nela, a cena da família reunida se repetia. O lago negro logo atrás e um sol morno iluminando sua superfície, davam a fotografia uma luz sem igual. Todos sorriam. Anne tentava segurar Thomas no colo, enquanto o menino ainda estava num triciclo, com os pés descalços. Irineu abraçava Anísio, que estava com a cabeça encostada no ombro do sogro.

— Eu me lembro desse dia como se fosse ontem — disse Thomas. — A gente tinha acabado de chegar da cidade, porque minha mãe cismou que precisávamos comprar berinjela e acará para o almoço. — Thomas parecia estar longe. — Estávamos cansados, pois procuramos muito por alguém que os tivesse para vender. Meu pai queria tirar uma foto, então, todos concordaram. Isso foi dois dias antes de chamarem ele... para a guerra.

Sophie sentiu a tristeza do menino visitar seu coração.

— Passei esse tempo todo esperando ele voltar, mas ele não veio...

Thomas contou para Sophie histórias ricas em detalhes, durante aquela tarde, usando as fotos para recordar. Riram, brincaram e também pensaram no que poderia vir depois da própria morte. Era um mistério para eles. Imaginaram que a eternidade, de que tanto falavam, parecia existir nos corações daqueles que ficavam vivos, em lembranças daqueles que amaram e partiram para nunca mais voltar.

Juntos, observaram o sol se despedir no final da tarde e a escuridão chegar. Isso tudo pela única janelinha que mostrava uma paisagem de árvores e montanhas. Ninguém os interrompeu, mas também não saberiam se alguém os estivesse procurando. Quando a neblina lá fora começou a ficar mais densa e os vidros da janela se esbranquiçaram, escutaram o sininho de Doroti ecoar pela salinha. Thomas, então, buscou um dos livros que já havia terminado, para levar de volta, e saíram para a biblioteca.

Antes que Thomas pudesse deixar o livro na estante, observou algo estranho na prateleira. Tentou não demonstrar raiva naquele instante, mas tomou coragem para ler o título daquele livro que se lembrava de ter jogado dentro do jardim. Para a surpresa dele, era o mesmo e aquilo só poderia significar uma coisa: Sophie tinha entrado no jardim, burlando todas as regras, desrespeitando sua família e as ordens de sua mãe. Não conseguiu dar nem mais um passo e olhou para Sophie, lançando um olhar tomado de raiva. Com certeza tinha mentido para o seu avô e não contara nada sobre o ocorrido.

Sophie engoliu em seco, quando percebeu o que estava acontecendo. Ela mordeu forte o canto da boca e apertou as mãos em desconforto.

— Como você conseguiu? Não é possível! Você entrou no jardim!

— Eu não tive... outra opção...

— Você entrou no jardim da minha mãe, escondida de todos. Como conseguiu a chave? Você mentiu para mim também.

Soaram passos no corredor.

— Fala baixo! — ordenou Sophie.

Ela agarrou o braço de Thomas com força e o arrastou até a entrada da passagem secreta, enquanto o menino resmungava e tentava se soltar. Minutos depois de visitarem novamente a escuridão daquele corredor, ouviram as vozes de Irineu e Anne, no que Sophie interrompeu apressadamente Thomas, tapando sua boca. Os adultos falavam aos cochichos, mas ainda assim desesperados. De tão nervosos que estavam, um não conseguia terminar a frase antes que o outro o interrompesse, e ambos se atropelavam ao andar pela biblioteca. Algo muito grave parecia ter acontecido, mas o que seria?

28

Murmúrios na escuridão

— Não fale alto — sussurrou Sophie para Thomas, largando o menino na escuridão. — Você me obrigou a entrar no jardim de qualquer maneira ou Irineu nunca mais confiaria em mim.

— Mas você roubou a chave. Onde ela está? —Thomas perguntou bem baixinho, tentando dividir sua atenção entre Sophie e o que era dito do lado de fora.

A menina ficou envergonhada. Sentiu suas bochechas corarem e o coração ganhar velocidade. Sabia que o que havia feito foi errado e teria de ser forte para contar toda a verdade para Thomas e todos da família.

— Eu encontrei a chave escondida no fundo da gaveta da Sra. Anne. — Sophie paralisou e pensou antes de falar. — Com ela eu... eu consegui abrir o jardim.

Ouviram outros cochichos vindos de fora, tão baixos que não entendiam o que estava sendo falado por Irineu ou Anne. As crianças pararam e, trêmulas, tentaram chegar mais perto da porta, a fim de escutar melhor.

Sophie, agora, sentia as palavras de Thomas como pedras dentro do peito e enquanto não falasse toda a verdade, e conseguisse de volta aquela chave, essas pedras não ficariam mais leves. Tentou prestar atenção aos murmúrios na biblioteca, mas sua atenção agora estava em outro lugar.

— Thomas... — chamou bem baixinho. — Eu fui vista entrando no jardim.

— Você o quê?! — O menino se virou bruscamente para ela. O escuro foi incapaz de revelar o espanto gravado no rosto do garoto. — Quem a viu? — Sophie respirou fundo, esfregando a mão esquerda no braço direito, a fim de se esquentar. Tudo em vão.

— Alberto me viu, quando eu estava saindo do jardim.

— Você não sabe de nada! — O menino começou a andar de um lado para o outro. — Minha mãe trancou esse jardim com um tesouro e... Na verdade, todos sabem. Minha mãe confiou a vida dela a todos desta casa, mas algumas pessoas não estão satisfeitas em estar aqui, não gostam da minha mãe, não gostavam do meu pai. Se Alberto a viu e entrou no jardim, eu não sei o que ele pode ser capaz de fazer.

— Eu juro que não dormi direito, desde que ele conseguiu a chave das minhas mãos... Estava planejando pegá-la de volta e colocá-la no lugar de onde a tirei. Eu não queria que as pessoas me entendessem mal, Thomas. Fiquei desesperada por tudo o que aconteceu. Eu me desculpo por tudo, e quero ajudar a resolver a situação. Vamos pegar a chave das mãos de Alberto o mais rápido que a gente puder.

— Eu sou o culpado disso tudo. — Thomas ficou cabisbaixo, enquanto mais murmúrios vinham do lado de fora. — Não deveria ter feito o que fiz com você. E não deveria ter feito o que fiz com a minha égua. É tudo culpa minha.

— Thomas, todos somos culpados, porque todos nós erramos. Se a gente errou, o melhor a fazer é consertar o erro e não cometê-lo novamente. O que eu preciso é do auxílio de alguém e só você pode me ajudar agora. Não sabemos o que está acontecendo lá fora, mas vamos tentar colaborar, com cuidado...

— Não! — Thomas interrompeu a menina, com a voz chorosa. — Meu pai jamais iria concordar com as minhas atitudes. Certamente, ele me desaprovaria em tudo. Não era para ser assim com você e com ninguém mais. Desculpe, Sophie! Eu não queria jogar o livro dentro do jardim... Quero confessar algo.

Sophie gelou, mais do que já estava e Thomas continuou:

— Eu ia contar para minha mãe que você havia entrado no jardim, antes de você ter feito isso. O livro iria lhe denunciar... Com isso, talvez quebrasse essa confiança que ela tanto depositou em você.

Surpresa, Sophie notou que Thomas parecia outro. Sua cabeça estava baixa, seus olhos fitavam o chão em plena escuridão. Algo se desfez dentro dela, aquela sensação de perigo, que rondava a imagem do menino em seus pensamentos.

Desarmado, ele chorou, mas rapidamente afastou as lágrimas do rosto e assoou o nariz. Sophie sentiu no ombro um tatear de dedos e, em seguida, de súbito, recebeu um abraço apertado do irmão. O toque frio e o rosto molhado do menino estremeceram Sophie, num abalo repentino, desfazendo toda desconfiança que ainda restava de Thomas. Ele era humano agora, mais do que antes. Lembrou-se das lições que seu pai lhe dera e isso era o mais importante.

— Eu vou ajudar você, Sophie. E ajudando você, estarei ajudando a minha família. — O abraço se desfez e o menino continuou a falar, sussurrando: — Vamos até o quarto da minha mãe. Se não encontrarmos a chave no lugar, é sinal de que ela ainda pode estar com Alberto.

Sem perceberem, o silêncio tomou novamente a biblioteca. Nada de murmúrios ou passos apressados de um lado para o outro. O lugar voltou a ser silencioso como sempre. Enquanto ainda falavam, não ouviram o que acontecia do outro lado e, sustentados pelo medo de serem vistos, o que poderia fazer com que seus planos dessem muito errado, aguardaram, até terem certeza de que eram os únicos naquele lugar.

— Acho que é hora de irmos — avisou Sophie, o brilho dos seus olhos faiscando no escuro.

29

Por Anísio

Quando saíram, ninguém mais estava na biblioteca. A luz do corredor se esparramava pelo tapete de entrada e o silêncio era atravessado por estranhos barulhos vindos do andar de cima. Thomas sabia que não poderia ser o cano, Sophie desconfiava de que não fossem os passos de Anne, pois os mesmos eram leves e delicados, nem mesmo de Irineu, com todo seu cuidado e educação.

De repente, por entre o ar gelado da mansão, alguém berrou ao longe, emudecendo as duas crianças, que se olharam assustadas. Ambos sabiam que não haveria outra atitude, a não ser correr e encontrar a pessoa que estava gritando.

— É minha mãe, Sophie! Minha mãe!

Thomas tomou impulso e correu em desespero em direção às escadas. A menina correu na sua companhia, sem olhar para os lados ou para trás. Subiram o mais rápido que puderam e encontraram a Sra. Nise, um tanto assustada, no segundo andar.

— Onde está minha mãe? — perguntou Thomas, desesperado.

— Eu... — A mulher arregalou os olhos, parecendo confusa. Aparentemente, não fazia seu trabalho de sempre, e não usava seu uniforme. — Eu a vi passeando...

— Para que lado? — questionava o garoto quase berrando, o frio no estômago passando para o corpo inteiro. — Pra onde ela foi?

— Eu não sei, garoto! — Irritou-se a mulher. — Não sei onde ela se meteu!

— A senhora não ouviu o grito?

— Que grito? Está ficando tarde e é melhor vocês irem dormir, antes que eu conte para a Sra. Anne que vi os dois pelos corredores sem terem tomado banho.

Thomas se irritou e correu até a porta do quarto de sua mãe. Por sorte, a porta estava aberta, porém Anne não estava ali. Lembrou-se de procurar a chave e aproveitou para abrir rapidamente todas as gavetas, buscando o fundo falso de que Sophie tinha falado. A garota, então o impediu de fazer mais bagunça e foi direto na gaveta certa.

Nada. Não havia chave alguma.

— Eu tenho certeza de que ela estava aqui. Peguei-a nesse esconderijo — falou, decepcionada.

— Não importa mais! — exclamou Thomas. — Vamos procurar minha mãe e meu avô.

— Daqui vocês não vão passar! — A Sra. Nise, inesperadamente, avançou diante da porta do quarto e tentou fechá-la, sem imaginar que Thomas poderia ser mais rápido.

O menino se colocou diante da maçaneta, empurrando com força, enquanto a mulher fazia o mesmo do outro lado. A menina não acreditava no que via e estava muito enganada sobre aquela mulher. A Sra. Nise não aparentava ameaça alguma, porém... O que ela estava tramando? Então, para ajudar Thomas, Sophie empurrou a maçaneta também, vencendo a força da empregada.

A Sra. Nise soltou a maçaneta, fazendo as crianças cambalearem e quase caírem no chão, mas a mulher estava segurando um pedaço de madeira e por pouco não acertou Sophie nos ombros. Thomas a segurou pelos braços e a madeira dançou de um lado para o outro.

Sophie passou por uma brecha que restava entre os dois e a porta, e por trás de Nise, agarrou sua mão, conseguindo arrancar a madeira e jogá-la longe. Thomas deu um salto e escapou por um triz de suas unhas grandes, e junto com Sophie, correu para o térreo.

Quanto mais se aproximavam, mais gritos e pedidos de socorro chegavam a seus ouvidos, o que fez com que os dois gelassem, mas não pararam de procurar, até que finalmente encontraram Doroti, amarrada e amordaçada, com os olhos vermelhos de tanto que parecia ter chorado e lutado.

— Soltem-me! — pedia ela, entre soluços.

Thomas correu em sua direção, ajoelhando-se para tentar desamarrar o nó que fizeram.

— Sophie, pegue uma faca para cortar isso aqui — pediu ele.

Veloz, a menina correu até a cozinha e buscou a maior de todas.

— Aqui está!

Sophie lhe entregou a faca, mas notou que a porta de entrada estava entreaberta e, curiosa, foi ver se não havia ninguém do lado de fora. Chovia forte e o ar frio passeou por seu cabelo.

Ao longe, na porta do jardim, avistou Alberto, acertando várias sacolas no lombo de um dos três cavalos, que relinchavam alto com medo dos raios que rasgavam o céu da noite. Desajeitado e com muita pressa, deixou vazar uma quantidade de moedas de ouro de uma das sacolas e Sophie percebeu o que de fato ele estava fazendo ali. Alberto roubava a fortuna escondida no jardim da Sra. Anne e por isso estava fugindo.

Ainda que aquilo pudesse custar sua vida, num ímpeto de responsabilidade por tudo o que acontecia naquele momento, Sophie gritou para o homem, tentando impedir que prosseguisse.

— PARE AGORA, ALBERTO! — ordenou ela, correndo em sua direção.

O homem nada disse, pulou no lombo de um dos cavalos, com a maior quantidade de sacolas e partiu desenfreado pela trilha escura da floresta. Em desespero, Sophie escalou a sela de um dos cavalos disponíveis e fez como Alberto. Deu um tapa forte no animal, fazendo-o disparar automaticamente.

Por instinto, o animal que Sophie montara procurou seu companheiro, assim como o outro cavalo, que seguiu Sophie, correndo na mesma direção. Por conta própria, os animais corriam na mesma direção. Mal sabiam eles, mas ajudariam Sophie a atingir seu objetivo. Assim ela esperava.

Como os raios que cruzavam o céu da noite, os animais passavam pelas árvores em alta velocidade. Tanto mais rápido como mais longe da mansão. O coração de Sophie estava muito acelerado. Dali em diante não saberia mais voltar. Estava perdida.

— PARE! — ordenava a menina.

A sensação de estar muito longe deixava Sophie em pânico. Olhou para trás e conseguiu avistar, entre as tantas copas de árvore, o grande pássaro desenhado no vitral de uma das janelas da mansão. Seus olhos enormes faiscavam tanto que, de repente, na cabeça de Sophie, algo faiscou também. Suas pernas formigaram, assim como a ponta de sua cabeça. Algo muito frio, repentinamente mudando para algo muito quente, era assim que se comportava o local entre os olhos de Sophie. Ela focou a ave intensamente, no mesmo instante em que o terror assolava seu peito e o nervosismo acelerava seu coração, tornando suas pernas fracas.

Um clarão vindo do céu chicoteou o vitral com violência, produzindo um estrondo alto e colorido, enquanto os cavalos, sobressaltados, aceleravam floresta adentro. Pela trilha percorrida, Sophie começou a notar um estranho brilho dourado. As moedas do tesouro de Anne Prince caíam, conforme o cavalo em que Alberto estava montado acelerava. Mas algo ainda mais incomum aconteceu. Daquela noite, Sophie se lembraria por toda vida, com muita clareza, da cena que presenciou a seguir.

A gigantesca ave do vitral saltou dos vidros com um estrondo e criou vida, abrindo suas asas multicoloridas e deslizando velozmente no ar, piando alto e agudo. Os raios a transformavam num monstro de proporções inigualáveis, enquanto suas múltiplas cores pintavam, conforme sua transparência, todas as árvores da floresta.

De repente, tudo era colorido e Sophie, temerosa e ao mesmo tempo feliz, comemorou a vida do pássaro, que os sobrevoava de forma impaciente. Montado nele estava uma criatura, cujo corpo e rosto eram cobertos por um manto negro semelhante à fumaça. Na cabeça redonda, uma espécie de coroa brilhava intensamente, enquanto da bainha retirava uma enorme espada de bronze.

O poder sobrenatural de Sophie a aterrorizou pela primeira vez, quando o grandioso animal deu um voo rasante pelas árvores, fazendo chover milhares de folhas. Tudo era cinza e breu, porém os cavalos não paravam de correr.

Tomado de igual terror, Alberto olhava o monstro e gritava alucinado. Seus movimentos se tornaram tão ruins que seu cavalo desequilibrou, dobrando os cascos e lançando o homem e o ouro das sacolas para bem longe. O cavalo de Sophie, ao ver o outro cair, parou forçadamente, levantando em duas patas e relinchando alto, incontrolável. Rápida, ela saltou do animal, correndo para perto de Alberto.

— Sua intrometida! — Alberto vociferou de costas para o chão, lutando para levantar-se.

— Você tirou a chave das minhas mãos para isso?! Você roubou a Sra. Anne!

Soluçando de dor, Alberto se levantou, olhando fixamente para a menina. Ela não sabia o que fazer. Sentiu-se como se estivesse de cara para a morte e a qualquer instante ela pudesse levá-la. Sophie havia esquecido, mas usaria a sua arma mais poderosa para se proteger: a imaginação.

Majestoso, o pássaro gigante pousou entre os dois, levantando uma poeira colorida. Alberto caiu de bunda no chão, de boca aberta e sem forças para correr. Então, avistou o cavaleiro negro, esfumaçado e com o rosto na escuridão. Ele desceu da ave e ergueu sua espada de bronze no ar. Automaticamente, uma luz brilhante acompanhou a lâmina, partindo a terra sob seus pés até alcançar o homem embasbacado no chão.

Rápido, Alberto se desvencilhou, mas não tirou os olhos daquela imagem tenebrosa nem da figura misteriosa e sem rosto que vinha em sua direção. Trêmulo, pôs toda sua força nos braços e se levantou, sentindo as costas arder e as pernas ficarem bambas de medo. Antes que pudesse se virar para tomar outro caminho pela floresta, algo bem gelado tocou seu ombro direito. A fumaça negra começava a tomar seu corpo e seus gritos de pavor cortaram o coração de Sophie. Ela também estava assustada, mas algo a mantinha no lugar.

Paralisado, Alberto viu a fumaça do cavaleiro misterioso tomar seu corpo por inteiro e ao atingir sua cabeça, ficou de cara para o rosto mais assustador que já vira. Olhos fundos, pele enrugada e roxa. Metade da cabeça careca; os poucos fios que ainda pendiam do couro cabeludo eram brancos e pareciam molhados.

Quando o cavaleiro abriu a boca, Alberto viu lá dentro uma imensidão de larvas e os olhos de uma cobra a fixar sua alma. Decerto, não suportou tão horrível imagem e desmaiou, assim que o cavaleiro negro tomou seu anonimato novamente e sumiu no sopro do vento, seguido pela ave gigante, em rodopios multicoloridos.

Cercada pelo silêncio absoluto, Sophie vislumbrou toda a fortuna da família da Sra. Anne, abismada ao constatar que cada moeda estava na sua devida sacola, todas repousadas no chão, como se nada tivesse acabado de acontecer.

Sophie correu até Alberto, que permanecia desmaiado. No pescoço do homem estava a chave do jardim, que lhe rendera tantas complicações. Retirou-a com cuidado e guardou no bolso.

Toda a fortuna da família estava depositada há muito tempo no jardim, desde a morte de Anísio, mas, além do ouro, havia livros também, de diferentes capas e títulos, todos escritos pelo pai de Thomas. Ele fora escritor. Sophie não entendeu o porquê de estarem todos escondidos no jardim, durante tanto tempo, porém, também não sabia das memórias que eles guardavam. Talvez, fosse dessas memórias que Anne tentava se afastar. Entretanto, em meio a tantas joias, o que mais o jardim parecia ter escondido eram as obras de Anísio. Tanta dor, tanta mágoa em torno de sua morte... Certo mesmo era entender que ele fora querido e o luto vivido por cada um, de formas muito diferentes.

Sentindo-se triste por ter descoberto algo tão pessoal e que não lhe pertencia, Sophie voltara às pressas para a mansão. Thomas, Anne, Irineu e Doroti a aguardavam no hall, preocupados. Quando a avistaram, gritaram seu nome em uníssono. Seus rostos estavam em pânico.

Ao se aproximar, Sophie aproveitou para mostrar a chave do jardim, um sinal de que tudo estava bem. Todos gritaram e correram até ela. Fora recebida com um abraço apertado da Sra. Anne e dos demais.

Thomas parecia ter chorado bastante, assim como Doroti, com seu rosto vermelho e nariz escorrendo.

— Thomas! — chamou Sophie, em tom preocupado. — Você viu a Sra. Nise?

Antes que alguém pudesse responder, Sophie escutou a mulher gritar como uma louca em crise, de dentro da casa. Fora amarrada e colocada no corredor das armaduras. Um desses guerreiros havia ganhado vida, explicava Thomas, capturando Nise pelas vestes, usando sua enorme espada.

— Já chamamos as autoridades — disse Anne. — Vamos aguardar que tudo fique mais calmo.

— Alberto está desmaiado na floresta — avisou a menina. — Não sei bem até quando ele permanecerá assim.

— Não se preocupe, minha querida — disse Irineu. — Eles já estão avisados sobre Alberto. Todos o conhecem. Não será difícil encontrá-lo, caso ele fique foragido.

— Ele estava muito estranho ultimamente. — revelou Doroti. — Mentia para mim e me respondia de forma ríspida, quando o questionava sobre as verduras que plantava.

— Sempre prezamos por um diálogo aberto e franco — dizia Anne. — Eu confiava nele.

— Mas tudo isso foi minha culpa — confessou Sophie com a voz trêmula. — Eu peguei a chave para buscar o livro...

— Eu o joguei dentro do jardim para que ela não conseguisse fazer a resenha, mãe — interrompeu Thomas. — Eu fui o culpado. Não deveria ter agido da forma que agi. Eu estava com raiva também...

— Queridos — disse Anne muito séria —, não precisam explicar. Se alguém merece ser punido, esse alguém é Alberto, que tentou roubar o que mais tenho de precioso. Não o ouro, mas os livros de Anísio, as memórias dele. Eu guardei tudo para que a dor de sua morte me machucasse um pouco menos, mas vi o quão bom é ter as boas memórias conosco, ainda que distante daqueles que nós amamos. É manter na mente a imagem do seu sorriso, as suas boas palavras e conselhos amigos. É não perder na memória a segurança e a calma que esse alguém nos deu um dia. É ser agradecido por termos tido a oportunidade de sua companhia. Esses livros significam muito para mim, assim como significavam para ele também. Infelizmente, só agora aprendi a valorizar o que podemos receber do outro, ainda que seja por pouco tempo. Dar valor ao que o outro pode nos oferecer do seu melhor, para o bem. Esconder os livros para não sofrer é o mesmo que sofrer pela tentativa de estar me desvencilhando das memórias de Anísio. Reabrirei o jardim. Não quero mais fugir do passado, que foi tão bom para mim.

30

O jardim de histórias fantásticas

Eram dez horas da noite, quando a caravana de policiais chegou à porta da mansão de Anne, exibindo carruagens largas e cavalos robustos, cheios de elegância. Não demorou muito, todos estavam passando os episódios transcorridos em minúcias de detalhes: como o jardim fora roubado, quem era Alberto, como souberam da fortuna. Os policiais anotavam o relato com rapidez e semblante carrancudo. Sophie ajudou muito, apesar de ser proibida pelo avô. Conforme ele disse, aquele não era um assunto para crianças. Então, andou com Thomas no gramado ao lado, olhando as árvores da floresta e ouvindo o vento sibilar nos seus ouvidos. Aquilo tudo parecia filme policial e a vontade de se tornar um deles crescia em Thomas, a cada olhadela de soslaio que dava.

Nise saiu algemada da mansão, aos bramidos, lutando para se soltar e deixando um dos policiais cansado e suado. Talvez estivesse arrependida por ter feito o que fez, ou até mesmo com raiva de Alberto por não ter lhe ajudado. O homem foi capturado ainda desacordado, dentro da floresta, rodeado de ouro, diamantes e muitos livros. Quando reapareceu, olhou boquiaberto para o céu, com os olhos arregalados, balbuciando algo incompreensível, à espera repentina do grande pássaro colorido. Foi amarrado e empurrado por outros policiais para dentro da mesma carruagem onde Nise ainda gritava e xingava. Sophie tinha certeza de que aquilo era por causa do misterioso Cavaleiro Negro.

Todo o ouro e os livros de Anísio foram devolvidos em sacolas grandes, verdes e vermelhas. Anne não olhou as sacolas de ouro, mas contou todos os livros, leu cada um dos títulos, folheou um por um para se certificar de que não havia alguma página rasgada, alguma capa fora do lugar ou a falta de um dos exemplares da coleção. Por fim, percebeu com alívio que todos eles estavam bem e completos. Abraçou os policiais, desejando-lhes um bom dia e um bom trabalho, assim como fizeram também Sophie e os outros, ao se despedirem.

Anne não disse, mas foi estranho assistir a partida de pessoas que sempre confiou. Certamente, aquilo foi uma surpresa muito desagradável. Anos e anos sem perceber o verdadeiro rosto escondido por trás das máscaras.

— Mamãe — gritou Thomas de repente, próximo do jardim aberto, ao lado de uma Sophie sorridente e empolgada. — Venha ver!

Anne notara a diferença de comportamento do filho. Estava mais calmo e não parecia mais o menino de antes. O que a deixou mais feliz foi vê-lo sorrir, depois de longos dias modorrentos, mergulhados na tristeza pela morte de Anísio. Quando escutou a voz distante do filho à sua espera, algo despertou em seu íntimo, causando uma sucessão de pensamentos fortes.

Sim! Começaria uma vida nova. Deixaria a tristeza e abriria portas para um novo futuro. E, então, abrindo outro sorriso para seus filhos, ela puxou a grande saia para cima e correu feito uma criança.

Mãe e filhos atravessaram o corredor de flores e deixaram o aroma doce das rosas acariciar a pele.

Anne estava vendo novamente o que sempre quis voltar a ver, sem dores nem pesar. Conseguiu sentir outra vez o bem-estar que o jardim lhe proporcionava e ver os pássaros voarem sob aquele lugar sagrado e ainda muito belo. Irineu chegou bem depois, cansado, mas sem conseguir esconder a grande animação que tomara seu coração, ao ver aquela cena. Sua filha feliz, satisfeita, sentindo-se segura. Seria uma tarde memorável para sua vida, todavia, e para a satisfação de todos, não demorou que ela viesse, trazendo um sol aconchegante.

Banhados pelo astro-rei, Sophie, Thomas, Irineu e a Sra. Anne tomaram o café na companhia de Fred e Doroti, ouvindo as músicas clássicas do vovô e o som tranquilizante da cachoeira ao lado.

O jardim era realmente o lugar mais lindo que Sophie já tinha visto em toda sua vida. Ali, o tempo parecia outro. Passava apressado, e quando não, era muito bom de estar. Todos os dias no jardim eram maravilhosos e Anne o abrira para visitas regulares das meninas do Orfanato Santa Maria. Sophie voltou a ver Olívia com frequência, assim como as outras meninas e a irmã Luciana. As meninas sempre estavam muito animadas e havia muita contação de história também.

A superleitura fora implementada todos os sábados, com direito a muita sobremesa e música. Foi quando Sophie teve uma ideia brilhante, fantástica, a melhor de todas. Iria escrever um livro com todas as suas amigas, um livro que ficaria para a história, onde todas elas contribuiriam com suas ideias maravilhosas.

E foi assim que ficaram conhecidas no mundo inteiro. Todos os jornais falavam delas, de suas ideias, da grande mansão e do jardim de histórias fantásticas. O lugar começou a receber pessoas de todas as partes. Quem quisesse ouvir uma boa história era só entrar.

A Sra. Anne nunca tinha imaginado que houvesse tanta criança no mundo que gostasse de ler. Para ela, aquela era a novidade mais incrível de todas. As histórias acabavam com o fim das tardes, mas o jardim nunca mais ficou trancado. Anísio sempre fora lembrado, com alegria e amor.

Finalmente, o objetivo de Sophie havia se completado. A alegria voltava à mansão e nada a tiraria de lá.

Sophie estava feliz.

VISITE AS PÁGINAS OFICIAIS

www.lereditorial.com

twitter@Ler_Editorial

www.facebook.com/lereditorial

www.instagram.com/lereditorial

pinterest.com/lereditorial/